LES ENFANTS
DE
TEREZIN

MICHAEL JACOT

LES ENFANTS
DE
TEREZIN

Traduit de l'anglais par
W. MORGANES

FLAMMARION

Titre de l'ouvrage original :
THE LAST BUTTERFLY

Éditeur original : McClelland and Stewart Ltd., Toronto
© 1973, MICHAEL JACOT

Pour la traduction française
© 1974, FLAMMARION
Printed in France

A ma famille.

Le poème, « Le Papillon », figurant dans ce roman, est l'œuvre de Pavel Friedmann.

Il passa par la chambre à gaz d'Auschwitz le 29 septembre 1944. Le poème est extrait de *Je ne revis jamais d'autres papillons,* édité par M. Volavkova, 1964. McGraw-Hill Book Company.

Il est reproduit ici avec l'autorisation des Editions McGraw-Hill Book Company.

L'auteur adresse ses remerciements au Musée Juif de Prague pour sa coopération et son aide.

Il était une fois un roi qui détestait les bouchers.

Aussi fit-il mettre à mort tous les bouchers du royaume.

Puis, il se mit à détester tous les cyclistes, et il établit un programme en vue de les exterminer à leur tour.

Quelqu'un demanda : « Pourquoi les cyclistes ? »

Il répondit : « Pour la même raison que les bouchers. »

Thème d'une pièce écrite par les prisonniers de Terezin.

1

La soirée avait basculé dans la nuit sans même qu'Antonin en eût pris conscience. Il se tenait derrière la fenêtre de sa chambre de l'hôtel désuet, le Majestic, et regardait à travers l'échancrure que son souffle avait formée dans le givre constellant la vitre.

Une neige poudreuse, récemment tombée, recouvrait les pavés de la place. Des drapés de nuages voilaient la pâle lune de novembre. Vue déprimante. Et Antonin était déjà déprimé.

Des siècles d'air imprégné d'humidité avaient conféré aux bâtiments baroques qui entouraient la place une informe monotonie. L'église, en dépit de toutes ses dorures, portait visiblement les marques de la guerre, cicatrices de trois ans d'abandon. La statue de saint Stanislas, sur le portail, apportait à l'ensemble une ultime touche de délabrement avec sa peinture dorée qui s'écaillait.

Sur le socle, quelqu'un avait dessiné une svastika à la craie. Au-dessous, tracé d'une main enfantine, le nom de Hitler. Et, plus bas, un cochon grossièrement esquissé.

De l'autre côté de la place, quelques personnes se pressaient déjà devant le théâtre, écartant le rideau noir pour se glisser à l'intérieur.

Là, la neige avait fondu sous les pas des paysans. Les pavés luisaient sous un glacis d'humidité glissante.

A l'extrémité sud de la place, devant le mess des

officiers allemands, la neige demeurait intacte. Personne ne s'était aventuré sur le trottoir. Les empreintes de pas se détournaient du bâtiment, l'accablant de mépris.

Antonin masqua sa fenêtre du rideau noir et tourna le commutateur électrique. Il s'assit sur le bord du lit. Il tremblait. L'air humide de la pièce le pénétrait jusqu'aux os.

— Ce n'est pas seulement moi, c'est tout ce sacré pays, dit-il tout haut.

La Tchécoslovaquie vivait dans un silence gris, ouaté.

— Dire qu'ils s'attendent à ce que j'arrive sur scène et que j'efface de leur esprit ce monde déprimant... que je les fasse rire.

Antonin se souleva à demi pour atteindre un mégot de cigarette posé sur un cendrier de verre à côté du miroir dé la coiffeuse.

— Je vais le fumer tout de suite, marmonna-t-il. Inutile de le mettre de côté pour la fin de la représentation. Qui sait, Ales m'offrira peut-être un cigare.

Il ficha une épingle dans le mégot. Il sentait déjà le goût du tabac lui emplir la bouche. L'allumette produisit une flamme pâlotte après le troisième essai. Juste le temps d'aspirer deux bouffées, après quoi, il lui faudrait prendre le chemin du théâtre.

— Bon Dieu ! Si seulement je ne me sentais pas aussi las !

La cigarette le fit tousser, mais il la retint entre les lèvres.

— Ce n'est pas seulement moi, c'est tout le monde ! répéta-t-il.

Cette pensée le transperçait, acérée comme une lame de rasoir, si douloureuse qu'il ne se rendait pas compte que le mégot lui brûlait la lèvre.

Le masque ! Il éprouvait de plus en plus de difficultés à le composer. Surtout quand on se sent si fatigué. Rien que d'essayer, ça vous noue l'estomac, vous emplit la bouche de bile. Mais les autres l'attendent. Ils s'attendent à vous voir tel qu'ils vous imaginent.

Composer le masque lui avait été enseigné par son père bien des années auparavant. Commencer par les orteils, bander les muscles, raidir les mollets, pousser les hanches en avant et redresser les épaules. Enfin, travailler le visage en se mettant l'esprit à la torture pour susciter la réaction immédiate, le sourire impertinent, insouciant, vif, ce foutu sourire ! A une époque, il y parvenait presque instantanément.

— Monsieur !

Un garçon d'une quinzaine d'années se dressait devant lui. Antonin se figea. L'adolescent souriait. Il tenait quelque chose à la main. Antonin remarqua que le bord mouillé, effrangé, du manteau que portait le gosse lui avait gercé les poignets.

Le paquet était enveloppé dans un journal. Le gamin rougit.

— Monsieur Antonin... mon père m'a demandé de vous apporter ça.

Le masque. Antonin devait lutter pour le retrouver.

— Monsieur, c'est pour vous... De la part de mon père, répéta le garçon.

— Merci... et remerciez votre père, parvint à articuler Antonin.

Le gamin disparut. Antonin ouvrit le paquet. Il contenait une saucisse et quelques pommes de terre bouillies. Et une note : « De la part d'un admirateur », écrite d'une main malhabile, paysanne.

Antonin sourit. Il posa la main sur la poignée de la porte de l'entrée des artistes et pesa fermement. Le masque !

Le foyer des artistes du Théâtre Municipal rappelait invariablement à Antonin une grande cuisine de ferme. Ses murs jaunâtres et la hauteur de son plafond lui donnaient une apparence fonctionnelle que les vieilles affiches et les portraits d'anciennes vedettes ne parvenaient pas à démentir.

Une grande et longue table de chêne occupait le centre de la pièce. Dans un coin, un réchaud à alcool trônait sur une grande malle. Ce soir-là, une bouilloire y chantonnait doucement. Dans l'angle opposé, un poêle à bois noir s'efforçait d'apporter un peu de chaleur. Des bancs couraient le long des murs, devant les glaces de maquillage.

Un mélange de fumée de cigare, de pain noir rassis, de saucisses suries et de cosmétiques saturait l'atmosphère, relents qui n'avaient rien de désagréable pour Antonin. La première bouffée qui lui assaillait les narines quand il ouvrait la porte était lourde de sens pour lui. A quarante ans, il était incapable de se rappeler à quelle occasion il l'avait sentie pour la première fois. L'odeur était déjà partie intégrante de son père quand, encore enfant, il l'aidait dans son numéro. Il s'en imprégnait toujours longuement avant de reporter son attention sur la pièce. Un animal regagnant son gîte.

Ce soir-là, Olga Prokes, la chanteuse, était assise à l'extrémité de la table, moulée dans son costume espagnol rouge, s'efforçant d'estomper les rides sous ses yeux par des couches de fond de teint. Les nains, Heinrich et Dagmar, dont les mentons apparaissaient tout juste au-dessus du plateau de chêne, partageaient une saucisse. Le jongleur, Stepanek, était à demi dissimulé derrière une bouteille de vin, et l'imitateur à la voix de fausset, Rudi Kvasnicka, se limait négligemment les ongles, rejetant de temps à autre son épaisse chevelure noire avec un geste affecté de la tête.

Jiri Ales demeurait fidèle à lui-même. Fredonnant, il marchait de long en large, un cigare éteint à la bouche. Les mains derrière le dos, il se pavanait comme un coq. Ales, un homme grisonnant aux lèvres minces, usait les semelles de ses chaussures durant toutes les représentations depuis qu'il avait été nommé directeur de la troupe.

12

Antonin avança dans le cercle de lumière.

— *Dobry vecer*, lança-t-il.

Il serra la main de Stepanek, qui avait presque atteint l'état d'ébriété nécessaire à son numéro de jongleur. Il adressa un signe de tête à Olga et aux autres réunis autour de la table, puis il s'assit.

Un chœur machinal de « *Dobry vecer* » le salua. Sourire du nain Dagmar. Antonin prenait possession de sa chaise. Il y avait droit. Comme le supérieur d'une abbaye. Dans un instant, il gagnerait le vestiaire des hommes pour passer son pantalon bouffant et sa veste de velours vert. Mais, pour le moment, cette chaise était la sienne. Il l'investissait comme certains hommes investissent un uniforme d'officier.

Instinctivement, quoique sa femme, Anna, fût morte depuis près d'un an, il esquissa un geste en direction de l'endroit où elle posait généralement sa tasse de café. Il retira vivement la main, avec un léger sourire gêné ; mais pas assez vite. Il surprit le plissement des lèvres de Rudi qui esquissait un sourire.

Les applaudissements du public filtraient à travers les murs épais. Le numéro de chiens était terminé. Olga se leva et éteignit sa cigarette. Elle s'éclaircit la gorge. Antonin lui adressa un clin d'œil. Signe de connivence, lui souhaitant bonne chance.

La porte claqua et le parfum de la chanteuse, flottant dans l'air vicié, parvint jusqu'à Antonin.

— Pour l'amour de Dieu, tu ne pourrais pas t'arrêter un moment ? hurla-t-il à l'adresse d'Ales.

— Bon. Ça va, ça va.

— Qu'est-ce qui te tracasse ? On fait salle comble et la location est assurée pour toute la semaine. C'est écrit en toutes lettres sur les affiches dehors.

— Rien ne me tracasse.

Ales s'immobilisa soudain à côté d'Antonin.

— Est-ce que tu vas enfin renoncer à exploiter certaines de tes plaisanteries... nous en avions parlé, Antonin.

— Je ne renonce à rien du tout.

Ales reprit ses allées et venues.

— Ce serait pourtant une idée, Antonin. A Prague, la semaine dernière, j'ai entendu quelques histoires de ce type qui monte... comment s'appelle-t-il déjà ? Robicek...

— Jan Robicek ?

— Au Lucerna.

— Il les a prises à son père... qui, lui-même, les avait volées au mien.

— Non. C'est un nouveau répertoire. Il y a l'histoire du type qui est tombé sous une voiture et...

Antonin se leva. Tête penchée sur l'épaule, il singeait Ales. Il se mit à marcher de l'autre côté de la table, synchronisant ses pas avec ceux du directeur.

— Je te demande seulement d'essayer...

— Je te demande seulement d'essayer..., parodia Antonin.

Ales ne lui accorda pas un regard. Rudi en avait terminé avec ses ongles et soufflait sur ses mains.

— Tu ferais mieux d'aller t'habiller. Nous parlerons de ça plus tard, dit Ales.

— Parlerons de ça plus tard... Parlerons de ça plus tard, fit Antonin en écho.

Rudi rit, imité en cela par les nains. Antonin ramena les mains contre sa poitrine ; il se dressa sur la pointe des pieds et laissa les plis de son visage s'affaisser comme sous le poids d'une immense tristesse. De nouveau, les nains s'esclaffèrent.

Antonin empoigna son costume pour aller se changer au vestiaire. Il referma la porte, heureux de ne pouvoir entendre ce que l'on disait après son départ. Il passait toujours deux fois à chaque représentation. En baisser de rideau. Il était le prochain à entrer en scène.

2

Olga finissait en grand style. L'air ne convenait peut-être pas à son costume espagnol, mais c'était grandiose — l'aria de *Brunehilde*. Sa voix allait s'écraser contre les cinq minuscules balcons du Théâtre Municipal et venait se répercuter vers elle comme le tonnerre.

A l'abri d'un portant, Antonin la suivit des yeux ; dans une grande envolée, elle semblait presser contre son ample poitrine tout le public paysan, puis elle laissa retomber les bras en un geste dramatique au moment où elle accrochait l'ultime note aiguë de l'aria.

Des applaudissements relativement nourris s'élevèrent. Antonin se demanda s'il oserait commencer son numéro en imitant la chanteuse. Il eut un petit rire intérieur. Je ferais mieux de m'abstenir. J'ai assez d'ennuis comme ça avec Ales. Encore une dispute et il me tuera... ou je le tuerai !

L'orchestre scanda les premières mesures de son introduction — version quelque peu alourdie de l'ouverture du *Barbier de Séville*.

Le rideau se releva. Il était là, au centre de la scène, le gros projecteur ambré braqué sur lui.

Il demeura immobile une seconde après que la musique et les applaudissements eurent cessé, les mains jointes de façon caractéristique sur le ventre, les épaules

15

tombantes, la tête tristement penchée de côté, le menton reposant sur la poitrine.

Il tremblait intérieurement. Il tremblait vraiment.

Il leva lentement les yeux, s'éveillant à la vie comme une fleur. Les rangées et les rangées de visages rougeauds, bien nourris en dépit de la guerre, et qui s'épanouissaient, viande crue dans la pénombre, le firent trembler encore davantage.

Durant une fraction de seconde avant d'ouvrir la bouche, il put distinguer des enfants, des grands-mères édentées, des hommes mûrs, mal rasés.

Il faut que je les fasse rire. Et, nom de Dieu, vous allez rire.

Soudain, machinalement, ainsi qu'il l'avait fait pendant trente ans, son corps se raidit et ses mains disparurent dans ses poches avec légèreté et naturel.

— Je marchais dans la rue et un clochard m'accoste en me disant : « Monsieur, je n'ai rien eu à me mettre sous la dent depuis trois jours. » Alors je lui ai donné un coup de dent.

Il entendit monter des rires. Un homme s'épongeait le visage avec un grand mouchoir. Un enfant chuchotait, tendu vers sa mère. Un vieillard toussait.

Antonin marcha de son pas habituel vers l'avant-scène. Le pinceau ambré du projecteur le suivit. Maintenant il pouvait même sentir l'odeur du public.

Il se demanda si ses tremblements étaient visibles.

— Un type demande à son médecin : « Est-ce que je pourrai jouer du piano après mon opération ? » « Bien sûr », répond le docteur. Et l'homme réplique : « C'est drôle. Avant, je ne savais pas. »

Cette fois, il obtint un rire plus fourni. Manifestement, les histoires n'intéressaient guère le public. Seigneur, comme il aurait aimé savoir ce que les spectateurs voulaient !

— Merci. Merci. Et maintenant, passons à autre chose.

16

Son corps devint sac. Il tomba comme un paquet de vêtements sur la scène.

Etendu là, pendant une seconde, écoutant les rires, il sentit l'odeur des planches de chêne saupoudrées de talc après le numéro de danse.

Il bondit. Estomac noué, poignets gonflés par la tension nerveuse.

Pourquoi ne glisserait-il pas une de ses vieilles séquences dans son numéro ? Il redressa la tête, boutonna sa veste verte et se pavana, mimant la démarche d'un fermier visitant Prague. La place Wenceslas. L'orchestre reconnut le numéro et entama un air du samedi soir.

Dans la main droite d'Antonin se trouvait une canne imaginaire et, accrochée à son bras gauche, avançait une femme qu'il venait de rencontrer dans la rue. Chacun pouvait s'apercevoir qu'il s'agissait d'une conquête car le côté gauche d'Antonin paraissait se déhancher, devenir féminin.

Il mima quelques pas de danse avec sa compagne, puis le sommeil en ramenant ses mains jointes contre sa joue. Un double clin d'œil au public fit fuser les rires.

Une main imaginaire se glissa dans la poche intérieure de la veste d'Antonin. Les sourcils du mime montèrent à la rencontre de ses cheveux. Il fit semblant d'être chatouillé. Puis, dans une réaction à retardement, il s'aperçut qu'on ouvrait son portefeuille et qu'on en retirait de l'argent.

De nouveau, il fit face au public. Son visage reflétait l'indignation. Rires plus francs. Le vieil homme s'essuyait encore le front avec son grand mouchoir. Quelque part, au troisième balcon, un enfant cria : « Elle lui a pris son portefeuille ! »

Antonin se retourna vers la voleuse et lui donna la chasse autour de la scène.

Puis, il pivota sur un pied et demeura planté là, face au public. Des applaudissements spontanés fusèrent. Mais cela ne suffisait pas. Les jambes d'Antonin commençaient à trembler.

Il leva la main pour apaiser les bravos, mais ceux-ci s'étaient déjà éteints.

Avec des gestes de bras, il donna à entendre qu'il se trouvait devant une boulangerie. Il se frotta le ventre pour indiquer sa faim, sembla se ratatiner, devenir tout petit et abandonné. A ce stade, il ne souhaitait qu'une chose : en finir. Il devait passer une deuxième fois ce soir-là ; c'était à lui qu'il incombait d'achever la représentation, et cette pensée l'agaçait comme un morceau de pomme dans une dent creuse.

Machinalement, il se livra à une suite de gestes pour tenter de distraire l'attention du boulanger afin de lui voler une miche de pain. La vieille ficelle de la « mouche sur le comptoir »... il suivit l'insecte des yeux presque jusqu'au milieu de la salle, puis, il leva le bras, assena un grand coup... et manqua la mouche. Se tournant brusquement, il saisit le pain. Trop tard. Le boulanger l'avait surpris et il appelait la police. On l'arrêtait.

Ce sketch terminait la première partie du spectacle. Un numéro célèbre. Trop célèbre. Trop connu des vieux spectateurs, trop incompréhensible pour les très jeunes.

Il tira de sa poche un immense mouchoir à carreaux et s'épongea le front. Il était vidé. Au bout du rouleau. Surtout ne pas le montrer. Il dut faire appel à toutes ses forces pour quitter la scène. Le rideau tomba d'un bloc.

Jiri Ales était au foyer des artistes. Seul. Les autres membres de la troupe avaient gagné le bar pendant l'entracte. Ales marchait toujours.

Antonin glissa la main sous la table pour fouiller dans la poche de sa veste d'où il tira la saucisse et une pomme de terre froide. Il prit son canif, coupa lentement la saucisse. Du bout de la lame, il piqua deux rondelles, les porta à sa bouche, puis il mordit dans la pomme de terre.

Quand il leva les yeux vers Ales, celui-ci lui tendait une tasse de café.

— Où sont-ils tous ?

— Au bar.

Antonin se douta qu'Ales les avait éloignés afin de pouvoir lui parler en tête à tête.

— Antonin... (Ales s'éclaircit la gorge.) Comment était la salle ce soir ?

— Comment veux-tu qu'elle soit ? A quoi peut-on s'attendre de la part de vieilles bonnes femmes et de gosses ? Mais je crois que j'ai trouvé le secret. Je vais ajouter quelque chose dans la deuxième partie. Tu comprends, je les ai mis dans l'ambiance, maintenant, et...

— Que veux-tu ajouter ?

— Tu verras.

— Antonin... J'ai une proposition à te faire.

Antonin saisit un morceau de saucisse et tendit l'autre à Ales. Autant s'en faire un ami...

— Ça ne te coûtera rien, dit-il. Enfin, à moins que tu aies une cigarette.

Ales en tira une de la poche de son pantalon et la lui tendit. Il refusa la saucisse.

— Maintenant, pour l'amour de Dieu, arrête de marcher de long en large.

— Antonin, retourne à Prague. Prends quelques semaines de congé. Je te réengagerai... Je te le promets... Mais il faut que tu te reposes et... va voir Robicek... Il est bon... Il y a aussi un autre artiste... J'ai oublié son nom, mais c'est une grande vedette de cabaret. Le genre chansonnier.

Le visage d'Ales n'était éloigné que de quelques centimètres. Penché, il s'appuyait sur la table ; ses jointures enrobées de graisse devenaient blanches. Antonin le dévisagea lentement. Le masque, pria-t-il. Oh, mon Dieu, envoyez-moi le masque. Mais il ne lui restait plus d'énergie pour le faire apparaître.

— Jésus-Marie, laisse-moi tranquille, murmura-t-il en faisant face à Ales.

Antonin ne se rappela jamais combien de temps tous deux étaient restés au foyer des artistes en tête à tête ce soir-là. Mais Ales finit par s'asseoir et il partagea la saucisse. Ni l'un ni l'autre ne parla, même après la fin de l'entracte.

Mais Antonin sut. Et, pis encore, il comprit qu'Ales aussi savait.

Il se souvint que la porte du foyer des artistes s'était ouverte et que des membres de la troupe étaient entrés, accompagnés de gros rires. Il se souvint que le rire s'était peu à peu tari, comme de l'eau coulant d'un robinet mal fermé. Il tenait entre ses mains la tasse de café à moitié vide. Il en tapotait la table, les yeux rivés sur la faïence, mais sans rien voir. Ses lèvres remuaient sans émettre aucun son.

Lorsqu'il parvint à se ressaisir, Antonin s'aperçut qu'on en arrivait à la moitié de la deuxième partie.

Il se redressa avec fierté et regarda autour de lui.

— Une fois, j'ai rencontré un Russe dans un bar, dit-il. Après les Irlandais, ce sont les êtres les plus illogiques du monde. Cet homme a annoncé : « Je pars tout de suite. Si je ne suis pas là demain, je serai là pendant trois jours ! »

Il rit. Assis autour de la table, silencieux, ses camarades l'imitèrent. La porte fut brutalement poussée et Ondracek, le dresseur de chiens, entra et repoussa le battant. Olga était en scène.

— Eh, j'ai quelque chose à vous dire.

Tous se retournèrent vers lui avec soulagement.

— Regardez ! lança Ondracek en faisant le salut nazi.

Chacun, même Antonin, le regarda avec étonnement.

— Voilà jusqu'où mon chien saute ! dit Ondracek.

Ales rit de si bon cœur que les larmes lui vinrent aux yeux. Les nains émirent des gloussements aigus.

— Eh ! Monsieur Antonin, c'est à vous ! appela le régisseur en passant la tête par l'entrebâillement de la porte.

Hébété, Antonin gagna la sortie. Il sentait tous les regards braqués sur son dos. Il referma derrière lui, s'immobilisa. Il prit une profonde inspiration. Que disait son père ? « Si tu n'es pas prêt, laisse le public attendre. Il ne t'en aimera que plus. »

Antonin ne se rappela jamais comment le rideau s'était levé ce soir-là. Il n'était qu'une marionnette exécutant un numéro gravé de façon indélébile dans son esprit.

Il dévida son répertoire comme dans un cauchemar et, au baisser de rideau, il se sentit si accablé qu'il en oublia presque de saluer... minute opprimante où il agissait à la manière d'un somnambule. Mais la chance lui sourit. En exécutant machinalement une dernière courbette, ses cheveux lui retombèrent sur les yeux et, quand il se releva, une mèche sombre lui resta accrochée sur le front, juste au-dessus de l'œil. Son corps s'affaissa légèrement. Le masque. Le masque! Quand il se redressa, il était Hitler.

La réaction du public fut lente mais, quand elle vint, il s'y mêlait de la peur.

Un doigt de sa main gauche vint se plaquer à sa lèvre supérieure pour simuler une moustache en brosse et Antonin creva le silence oppressant de la salle en levant le bras droit en un salut nazi.

Il marqua une pause... pas trop longue, juste la seconde voulue que des années de métier lui avait enseignée. Puis, il dit :

— Voilà jusqu'où mon chien saute !

Un instant, un silence sinistre régna. Puis, il se rompit. Sous le déferlement des vagues de rires et d'applaudissements, les digues cédaient. Le flot submergeait Antonin. Il salua rapidement ; le public continuait à le rappeler alors qu'il s'éloignait déjà dans les coulisses. Ales était là. Blanc comme un linge.

— Imbécile ! Tu vas tous nous faire arrêter.

Antonin l'entendit à peine.

Quand Ales vint le rejoindre au foyer des artistes, il avait déjà entassé pantalon et veste dans sa valise.

— Qu'est-ce que tu fais ?

— Je t'abandonne, toi et ta tournée à la manque. J'en ai soupé.

— Ecoute, Antonin, commença Ales d'une voix suppliante. Ce que je te disais tout à l'heure... Enfin, je veux dire... Viens. On va prendre un verre et nous bavarderons de tout ça...

— C'est bien ce que tu voulais, non ? demanda Antonin en bouclant sa valise.

— Je... jamais... enfin, oui. Oui ! Tu te rends compte de ce que tu as fait ? Ils vont fermer le théâtre.

— Va te faire foutre, toi et ta troupe à la noix ! Il y a du travail à Prague. Là-bas, les gens comprennent. Alors... Je m'en vais.

22

Il sortit.

En quittant l'hôtel un peu plus tard pour attraper le tortillard de Prague, Antonin perçut le froid de la nuit tout autant que le silence de la place.

La lune était haute à l'horizon. Les nuages avaient disparu et les ombres traînaient, longues, verdâtres. Il marcha d'un pas lent, les épaules voûtées, sans beaucoup s'inquiéter du masque.

La gare était située à un kilomètre du centre de la petite ville. Il traversa la place, la laissant derrière lui aussi immobile et silencieuse qu'il l'avait trouvée. Un infime changement : les empreintes fraîches qu'il avait laissées derrière lui en passant sur le trottoir qui desservait le mess des officiers allemands. Seules marques de pas à cet endroit.

4

Il était très tôt. Un épais brouillard gris tourbillon-
nait, descendant des collines qui entourent Prague, et
venait coiffer les flèches de granit. Antonin, le col de son
manteau relevé pour lutter contre le froid, se frayait un
chemin à travers la foule qui encombrait la gare de
Praha-Hlavni. Les voyageurs le heurtaient, sa valise
pesait à son bras. La plupart d'entre eux étaient des
paysans qui venaient à la ville chargés de paniers
remplis de victuailles. Un soldat appuyé sur des béquilles se dressait dans la faible lumière de l'entrée
principale, essayant d'allumer une cigarette.

Des policiers en uniforme de « Protectorat » mar-
chaient deux par deux.

Antonin alla se fondre dans les groupes qui patau-
geaient dans la neige.

Pas d'autobus et les tramways étaient rares. Antonin
remonta lentement l'Hybernska, passa devant l'hôtel de
ville dans Staromastske, et descendit la rue Maislova.

Il se rapprochait de la rivière et le brouillard
s'épaississait. Trois hommes âgés, une étoile jaune fichée
au revers de leur manteau coupé dans une étoffe
grossière, venaient à sa rencontre. Ils cessèrent de parler
et s'immobilisèrent quand il les croisa.

— *Dobry den*, leur cria-t-il.

Ils ne répondirent pas.

Personne d'autre dans la rue, mais Antonin avait le sentiment qu'on l'épiait à travers les rideaux noirs.

Au bout de la rue, il tourna à droite. Il logeait dans un appartement de l'immeuble d'en face. Il leva les yeux vers le troisième étage. Ses rideaux étaient encore en place.

L'appartement était petit. Une grande pièce flanquée d'une cuisine et d'une salle de bains. Il y habitait depuis son mariage avec Anna.

D'un coup de pied, il écarta le courrier glissé sous la porte et alla ouvrir les rideaux.

Une photographie d'Anna était accrochée au mur au-dessus de l'endroit où il avait posé sa valise. Le ruban noir qui en barrait l'angle était poussiéreux. Antonin le brossa du revers de sa manche.

Avant de s'asseoir, il fit le tour de la pièce, comme un chien qui tient à s'assurer que son panier n'a pas été dérangé. Il souleva quelques bibelots sur le dessus de la cheminée, tapota un coussin du divan et brancha la radio. La pancarte, qui devait obligatoirement surmonter chaque poste, avertissait en lettres grossièrement imprimées : L'ECOUTE D'UNE EMISSION ENNEMIE EST PASSIBLE DE LA PEINE DE MORT.

Antonin s'approcha de l'imposante armoire d'acajou proche de son lit et en tira une bouteille de vin. Il s'en versa un grand verre et s'assit. A l'une des extrémités du divan se trouvait une petite commode. Du tiroir du haut, il sortit un album de coupures de presse. Tout en feuilletant les pages jaunies, il essayait de prendre une décision.

Il referma l'album, le rouvrit, sourit en se rappelant quelques vagues souvenirs et se redressa à demi, les yeux posés sur le téléphone pendant à son crochet chromé. Il prit encore un peu de vin, se regarda dans le miroir surmontant la cheminée et mit un semblant d'ordre dans la pièce. Puis, lentement, il s'assit. Toutes les excuses étaient bonnes pour ne pas décrocher l'appareil. Finalement, l'album s'ouvrit de lui-même au moment où il le reposait sur ses genoux. Une affiche pliée marquait la page. Elle était datée du 15 septembre 1923 et annonçait tous les numéros composant le spectacle du Théâtre National de Bratislava. Son nom figurait en gros caractères sur la ligne du haut. C'était la première fois qu'il passait en vedette.

Après quoi, les choses avaient été faciles pour lui jusqu'à la guerre. Il était connu et aimé dans tout le pays qu'il sillonnait avec les tournées nationales au point que les gens venaient à lui dans la rue et lui serraient la main.

A Prague, les choses avaient toujours été différentes. Louis, son imprésario, avait obtenu qu'il passât à deux reprises au Lucerna, mais ça n'avait jamais bien marché.

Peut-être le jour était-il venu où Prague l'attendait. L'espoir montait très vite chez Antonin. Il savait qu'il tombait aussi très vite.

Il se leva d'un bond, alla droit au téléphone. Pas encore très habitué au système automatique installé au début de la guerre, il tâtonna un peu. Enfin, il entendit la sonnerie à l'autre bout du fil.

— *Dobry den, Je to...* Louis ? Ici Antonin. Antonin Karas...

— Depuis quand es-tu de retour ? Je croyais que tu étais engagé pour toute la durée de la tournée.

— J'ai décidé de me reposer un peu. J'étais fatigué. Et j'ai l'intention de chercher autre chose...

— Parfait, commenta Louis sans grand enthousiasme.

Antonin tenta de dissiper la froideur qu'il percevait.

— J'ai un tas d'idées nouvelles. J'aimerais passer te voir... dès que possible.

— Les choses ne sont pas brillantes ici, Antonin. Avec les règlements de défense passive et le couvre-feu, il est difficile de garder les théâtres ouverts...

— J'y ai bien pensé. Est-ce que je peux passer te voir lundi, Louis ?

— Mardi — peut-être, mais je ne voudrais pas que tu croies...

— Mardi à... disons, deux heures ?

— D'accord, deux heures. Pourquoi as-tu lâché cette tournée ?

— J'en ai eu marre.

— Au moins, tu avais un engagement.

— Bon. Je te verrai mardi à deux heures. *Na shledanou.*

Antonin raccrocha vivement. Il vida son verre.

Louis ne l'avait pas rembarré. Il se versa encore un peu de vin. Il s'examina de nouveau dans la glace, décrocha son pardessus et son chapeau et quitta l'appartement. Il avait besoin de pain, de fromage et de pommes de terre. Il tira de sa poche sa carte de rationnement en piteux état et gagna la rue.

5

Les caves voûtées d'un monastère du xvᵉ siècle abritaient la Taverne Divadlo. Ses murs s'ornaient d'écussons de velours brodés aux armes de divers théâtres. Autrefois, les salles de spectacle de Prague avaient été patronnées par les riches.

Chaque table était éclairée par un chandelier à trois branches ; donc, en dépit de la guerre, la Taverne Divadlo n'avait jamais souffert des coupures de courant qui affectaient les autres cafés. Il y faisait froid, évidemment, et l'entrée était encombrée par des sacs de sable. Mais si un nombre suffisant de consommateurs s'y pressaient après la sortie des théâtres, il y faisait très bon.

La taverne avait un autre avantage. Les nazis ne l'avaient pas encore découverte et aucun soldat ne la fréquentait. Avec un petit effort d'imagination, pensa Antonin tandis qu'il attendait ses amis Karel et Petr, on pouvait croire que la guerre n'existait pas.

Elle offrait encore un autre avantage en ce qui concernait Antonin. Il était connu du propriétaire et de tous les clients.

Antonin venait de passer tout l'après-midi dans la salle et les vapeurs du vin commençaient à lui monter à la tête.

Par-dessus le bord de son verre, il vit entrer Petr et

Karel. Ce dernier paraissait plus maigre que jamais avec son visage cireux. Petr adressa un signe à Antonin qui le connaissait depuis l'époque où il avait débuté au Théâtre Ostrava, venant directement du cirque. Maintenant encore il avait l'air d'un clown. Même vêtu comme tout le monde, il ne donnait pas le change. Tous ses habits semblaient trop petits, à l'exception de ses chaussures qui, si on n'y regardait pas de très près, semblaient avoir été inversées.

Les amis d'Antonin se rapprochaient de sa table, salués par d'autres consommateurs. Ainsi que le voulait la coutume, ils s'arrêtaient, serraient des mains, échangeaient quelques banalités avec tout le monde. C'était une sorte d'accord tacite qui les soudait les uns aux autres à une époque où le reste du monde s'écroulait.

Ils finirent par atteindre la table. Petr l'embrassa le premier.

— Pourquoi ne nous as-tu pas annoncé ton retour ?... Depuis un mois déjà !

— J'avais besoin d'un temps de réflexion.

Karel l'embrassait gauchement.

Ils s'assirent, empruntés comme des écoliers qui se seraient perdus de vue depuis longtemps, et Antonin leur versa du vin.

— *Na zdravi !* firent-ils en chœur.

— Ils m'obligent à travailler aux tranchées... commença Karel.

— Bon Dieu ! s'exclama Antonin en s'efforçant de reprendre ses esprits.

— Ce n'est pas si terrible, reprit Karel. Et j'ai beaucoup d'amis autour de moi. Ça ne durera pas toujours.

— Je n'en suis pas si sûr, dit Antonin. Ils construisent des fortifications tout le long de la ligne de chemin de fer...

— Qui ?

— Des équipes de travailleurs juifs. Dieu sait d'où ils viennent.

29

— Ils sont amenés par camion depuis Terezin, dit Petr.

Antonin savait que son oncle avait été arrêté et emmené à Terezin. Il savait que Terezin était un camp de concentration à une soixantaine de kilomètres de Prague ; camp créé par Hitler en tant qu'Etat juif et, d'après les on-dit, 60 000 Israélites y étaient internés. Antonin se demanda ce qui avait poussé Petr à mentionner Terezin. Essayait-il de le mettre en garde ?

— Ils ne t'ont pas encore interrogé ? s'enquit Karel.

— Ma carte d'identité n'est pas timbrée, dit Antonin en secouant la tête. Seule, ma mère était juive.

— Tu n'aurais pas dû revenir à Prague !

— S'ils essaient de m'arrêter, ils auront affaire à plus forte partie qu'ils ne l'imaginent, assura Antonin.

Mais le cœur n'y était pas. Les remarques de Petr devaient cacher quelque chose.

— Pour l'amour de Dieu, changeons de sujet, grommela Antonin.

Il tira de sa poche une cigarette roulée à la main et la partagea avec ses amis.

— J'ai une idée qui pourrait vous intéresser, annonça-t-il. J'ai imaginé quelque chose... un plan...

— Oui ? fit Petr en buvant une gorgée de vin.

— Ce théâtre fermé à côté du couvent Loreta...

— Le Kabaret ? demanda Karel.

— Dès que tout ça sera terminé, je compte l'acheter.

— Mais dis donc... Tu as mis de côté une véritable fortune ! s'étonna Petr.

— Oh, j'ai un peu d'argent et le terrain autour de ma maison de campagne pourrait me rapporter quelques milliers de couronnes. Nous y jouerons la comédie. Un véritable théâtre comique. Tout le pays y défilera.

— Les nouvelles idées, les nouvelles pièces, les nouveaux numéros... dit Karel en agitant l'index sous le nez d'Antonin. Et où les dénicheras-tu ?

— Ça aussi, je l'ai prévu. Les gens sont malades

actuellement. La guerre les a rendus malades. Ils rient de plaisanteries douteuses au sens politique caché...

— Comme le salut nazi... ? demanda Petr.

Un silence tomba. Ainsi, c'était ça ! Petr essayait bel et bien de le mettre en garde.

— Tu en as entendu parler ?

— Ça a fait le tour de la ville.

— Ne t'inquiète pas, intervint Karel. Que peuvent-ils te faire ?

Antonin finit rapidement son verre et commanda une autre bouteille.

— Bien sûr. Pourquoi se soucieraient-ils d'un homme comme moi ?

Suivit un nouveau silence.

— ... vous savez, je suis sérieux au sujet de ce théâtre.

— Tu as le temps de voir venir. La guerre n'est pas terminée.

— Il faut nous préparer... être prêts quand le moment sera venu. C'est notre dernière chance.

Antonin surprit un éclair fugitif dans le regard de ses amis.

— En ce qui nous concerne, nous deux, c'est déjà un peu tard, Toni, dit Karel.

— Eh bien, pas pour moi. Je vais recommencer... et tout de suite. Je ne vais pas me laisser arrêter par cette foutue guerre !

— Bon. Eh bien, d'accord. Alors, discutons-en, admit Petr. Mais je tiens à te faire remarquer que tu aurais mieux fait de rester en province. Enfin, ça te regarde. Vas-y, parle. Nous t'écoutons.

Ils l'écoutèrent. Il était très tard lorsque Antonin quitta le café. Longtemps après l'heure du couvre-feu. Et Antonin était très soûl.

6

— Bon sang, qu'est-ce que... ?

Antonin tenta de se dégager de la main qui lui étreignait fermement le bras. Il venait de contourner l'angle du café et s'efforçait de rester dans l'ombre.

— Ne vous inquiétez pas. J'attendais que vous sortiez. Je vais vous raccompagner chez vous, assura le jeune homme.

Les yeux d'Antonin s'accoutumaient à l'obscurité. Il distingua l'étoile de David sur le pull-over du garçon.

— Foutez-moi la paix. Vous cherchez à nous faire arrêter tous les deux ?

— Je vous reconduirai chez vous en deux minutes.

Le jeune homme l'entraîna, emprunta des raccourcis. Au début, Antonin tira pour se libérer le bras, mais il abandonna rapidement toute résistance. A contrecœur, il se laissa remorquer comme un chiot au bout d'une laisse.

Le jeune homme ne mentait pas. Il le raccompagna chez lui en un temps record. Antonin n'eut aucun souvenir d'avoir monté les trois étages jusqu'à chez lui et, quand il revint à lui un peu plus tard, il s'aperçut qu'il somnolait dans son fauteuil et que le garçon lui faisait face, installé sur le divan.

— Vous avez dormi pendant près d'une heure, dit le jeune homme avec un sourire communicatif. Que diriez-vous d'un peu de café ?

— Du vrai ?

— De l'authentique, assura le garçon en tendant une tasse à Antonin. Je me suis permis de le préparer dans votre cuisine.

Antonin en percevait l'odeur. Il laissa ses narines s'en imprégner longuement.

— Mais où l'avez-vous trouvé ?

— Je l'ai volé au mess des officiers de la rue Cinska.

— Vous allez vous faire fusiller.

— J'en doute. Ce sont des abrutis. Notre équipe de travail a été affectée aux poubelles. Le sergent-chef du mess a scrupuleusement noté tout ce qui se trouve dans la cuisine et a établi un inventaire en trois exemplaires. Chaque produit est alors placé dans une boîte métallique. Ce sont les mêmes emballages que ceux des biscuits. Naturellement, lorsqu'il y a un nouvel arrivage de gâteaux secs, on nous donne les boîtes vides à jeter et nous les étiquetons à notre fantaisie... café, farine, sucre, etc. et nous n'avons plus qu'à les échanger avec celles qui en contiennent réellement. C'est une vraie rigolade.

— Ils s'en apercevront. Vous feriez mieux de cesser.

— Tant que l'inventaire, en trois exemplaires, est timbré chaque mois, ils continueront à croire que tout est en ordre. N'importe comment, ce n'est pas de ça que je suis venu vous parler... Je suis le fils de Cherniak.

— En effet, vous lui ressemblez, déclara Antonin en hochant lentement la tête.

— Il parlait souvent de vous. Quand il a été emmené, j'ai été mis à la porte du cours de comédie et, depuis, j'ai vécu d'expédients.

— Avez-vous eu de ses nouvelles ?

— Non, mais on m'a dit qu'il était mort. (Le jeune homme regarda longuement ses mains, puis il releva la tête et dévisagea Antonin.) Je m'appelle Pavel. J'ai besoin de vos conseils.

— Comment pourrais-je vous les refuser ? murmura Antonin en plongeant le nez dans sa tasse de café.

— J'ai pensé que si vous me présentiez à Ales ou à un autre directeur, je pourrais peut-être avoir un engagement pour une tournée de province. Je connais tous les numéros de mon père et j'en ai mis d'autres au point...

— Pas avec cette marque sur vos papiers ! coupa Antonin en désignant l'étoile de David.

— J'ai de faux papiers.

Le jeune homme les produisit et Antonin les examina.

— Ils ont dû vous coûter une fortune, hein ?

— Je les ai volés. Un ami a remplacé la photo par la mienne.

— Vous jouez un jeu dangereux.

— Dans une tournée de province, je pourrais passer à travers jusqu'à la fin.

— Et si Ales n'aime pas votre répertoire ?

— J'accepterai n'importe quoi. Je balayerai la scène... Au moins, je serai libre.

— C'est drôle. J'ai abandonné la tournée le mois dernier parce que je voulais être libre... Je vais vous écrire cette lettre immédiatement. J'ai une bonne renommée et mon nom vous ouvrira toutes les portes.

— Je sais...

— Vous trouverez un porte-plume et de l'encre dans ce tiroir. Le papier devrait y être aussi. Oui, j'ai une bonne renommée, répéta-t-il. J'ai tout fait pour qu'il en soit ainsi, et il ne faut pas l'oublier... Pavel.

Le jeune homme se dressait devant lui, le porte-plume à la main.

Les yeux d'Antonin étaient encore obscurcis par les vapeurs du vin.

— Une bonne renommée est l'atout le plus important. Si les gens ne vous respectent pas, vous n'arriverez à rien.

— Je m'en souviendrai.

Antonin commença à griffonner une lettre à l'intention d'Ales.

— Et quand tout sera fini... venez me trouver. Je vais ouvrir un nouveau théâtre à Prague. Vous lirez les détails dans la presse. C'est encore secret, mais tout est signé et enregistré. Ce sera une grande chose... alors, vous viendrez me trouver.

Quand Antonin eut achevé la lettre, il tira quelques billets de sa poche et les tendit au garçon en même temps que le mot d'introduction.

— Non, merci. Je n'en ai vraiment pas besoin.

— Prenez ça, Pavel.

Avec une obstination d'ivrogne, Antonin l'obligea à prendre l'argent.

Avec un sourire crispé, Pavel glissa les billets dans sa poche.

— On ne sait jamais, dit Antonin. Un jour, ce sera peut-être vous qui me rendrez service.

Après le départ du jeune homme, Antonin s'adossa à son fauteuil et attendit. Le jour n'allait pas tarder à se lever. Peu après, les gens se rendraient à leur travail. Et peu après le téléphone pourrait sonner.

Mais à dix heures, il n'avait pas sonné. Pas plus qu'il n'avait sonné durant chacune des matinées qui s'étaient écoulées depuis sa dernière visite à Louis. Il se leva d'un bond, espérant émerger de son état dépressif ; il mit son pardessus et son chapeau et résolut de laisser le téléphone sonner ; il ne se donnerait même pas la peine de décrocher.

Pourtant, en descendant l'escalier, il crut entendre le grelottement du timbre et fut tenté de remonter quatre à quatre pour répondre. Il s'immobilisa, tendit l'oreille et se rendit compte que la sonnerie ne retentissait que dans sa tête.

Le soleil brillait, l'air était vif. Il descendit Maislova jusqu'au vieux cimetière juif. Des gens âgés lézardaient sur le trottoir à l'abri du haut mur qui entourait la nécropole.

Antonin aimait se promener dans le cimetière. Outre le sentiment que l'Histoire montait des milliers de tombes étroitement serrées les unes contre les autres, on y goûtait la paix. Il existait depuis plus de mille ans. Certains des tombeaux étaient si vieux que la pierre avait été usée et ne dépassait plus le sol que de quelques centimètres. Les grands chênes et peupliers tamisaient le froid soleil hivernal et les petits bancs de pierre étaient disposés de telle façon que l'on pouvait toujours être seul bien que le cimetière constituât l'une des promenades favorites du quartier. Il était même l'unique lieu où les quelques enfants juifs demeurant encore à Prague étaient autorisés à jouer.

Ce jour-là ne faisait pas exception. Plusieurs petits groupes d'enfants, sous l'œil circonspect de mères vêtues de noir, couraient entre les caveaux délabrés et jouaient en silence.

Antonin ne s'était jamais considéré comme juif. En fait, il ne s'était jamais considéré que comme un citoyen tchèque. Mais ce jour-là, entouré de tant d'enfants juifs, son judaïsme resurgit. Que devenaient ces gosses séparés de leurs pères et de leurs mères ? Que pouvait-on ressentir quand on voyait emmener ses parents ? Comment mener une existence à peu près normale avec la peur et l'incertitude comme constantes compagnes ? Plus il s'efforçait d'éloigner ces pensées, plus elles le lancinaient.

Antonin sombra dans une sorte de rêverie. Quand il en émergea, il se retrouva à côté d'un groupe de cinq ou six enfants. Tous le considéraient silencieusement avec de grands yeux craintifs.

Il lui fallut quelques secondes pour percer la raison de leur frayeur. Pas d'étoile de David sur son manteau. Sans cet emblème, tout être inspirait la peur.

Antonin sourit et ôta son chapeau. Au moment où il s'en recoiffait, une rafale de vent le lui arracha. L'un des enfants gloussa. L'incident déclencha un mécanisme. Et il se mit à jouer.

Une autre bourrasque survint et il enfonça son

chapeau, le tenant à deux mains. Il roula des yeux et les leva vers le bord. Puis, il lâcha brusquement. Le couvre-chef s'envola, projeté par un mouvement des pouces. Antonin fit un bond pour le récupérer mais le chapeau passa au-dessus d'une pierre tombale. Il l'enjamba, rattrapa le chapeau, s'en coiffa pour le voir voleter de nouveau au milieu des enfants. Le corps arqué en arrière, il le saisit de la main gauche. A nouveau, le chapeau bondit à presque deux mètres de hauteur.

— Il est vivant ! s'écria une petite fille aux longues tresses blondes.

Ils riaient à présent. La peur était oubliée.

Antonin lança le chapeau qui retomba sur la tête d'un petit garçon, recouvrant sa calotte. Antonin trébucha en s'efforçant de le rattraper.

Il vit, en se jetant à terre, que les enfants étaient pliés par le rire ; ils frappaient dans leurs mains, au comble de la joie. Il se remit sur pied d'un bond et saisit le chapeau qui, aussitôt, s'envola vers les branches dépouillées d'un arbre.

— Attention ! cria-t-il. Il risque de vous tomber dessus !

Avec de grands moulinets de bras, il engagea les enfants à se disperser.

— Il est vivant ! Je vous dis que le chapeau est vivant ! s'égosilla la petite fille aux tresses blondes.

— Il fait ça tous les mardis à cette heure-ci, assura Antonin.

Il saisit fermement le chapeau à deux mains et fit mine de déployer des efforts pour l'obliger à rester à terre. Il l'y maintint pendant une seconde.

— Eh, toi ! (Il était plié en deux comme un U inversé.) Toi, petit ! dit-il avec un signe de tête à l'adresse d'un garçonnet d'une dizaine d'années qui souriait timidement, la joue appuyée contre une stèle. Oui, toi ! Viens ici et aide-moi à le tenir.

L'enfant s'avança.

— Tiens-le-moi une seconde, il faut que je me mouche.

Antonin posa le pied à proximité du chapeau. L'enfant le plaqua à terre. Antonin porta un mouchoir à son nez et émit un bruit tonitruant qui déclencha l'hilarité des gosses.

Et voilà qu'Antonin avait oublié où il était et qui il était, totalement absorbé par une autre réalité. La réalité d'un chapeau vivant qui devait être apprivoisé. Aiguillonné par son public, il souleva le chapeau du bout du pied.

— Tiens bon, mon gars ! s'écria-t-il.

De nouveau, il fit mine de se moucher. Le bruit résonna à l'égal d'une fausse note tirée d'un trombone et persista jusqu'à ce que les enfants fussent une fois de plus pliés par le rire.

Puis, soudain, le garçonnet se retrouva assis par terre pendant que le chapeau s'envolait.

— Il a bougé ! Il a vraiment bougé ! s'exclama l'enfant. Je l'ai vu !

— Idiot ! Tu l'as laissé partir !

Le chapeau semblait danser d'une main à l'autre. Antonin jonglait à travers la petite foule. Un autre groupe d'enfants s'était joint au premier et tous formaient un cercle.

Enfin, Antonin sembla apprivoiser le chapeau. Il le prit à deux mains. Et il lui échappa encore.

Il posa un pied sur le bord.

— Maintenant, reste tranquille. Sinon... !

— Ça y est, il le tient ! s'écria un garçon. Eh, Monsieur, vous voulez de la ficelle ?

Antonin mit les deux pieds sur le bord du chapeau. Il applaudit et sourit.

Puis, il promena son regard sur chacun des visages qui l'entouraient. Les yeux des enfants demeuraient rivés sur le chapeau. Il croisa les bras d'un air triomphant. Comme dans un numéro bien réglé, il attendit. Le regard des enfants commençait à remonter vers lui.

— Il va rester tranquille maintenant, assura Antonin. Il est vaincu. Il a perdu toute sa méchanceté.

A peine avait-il proféré ces paroles que le chapeau se soulevait brusquement et venait atterrir avec une parfaite précision sur la tête d'Antonin, lui recouvrant les yeux.

Les enfants sautaient de joie, se tapaient sur les cuisses.

Lentement, la main d'Antonin monta à la rencontre du chapeau. A dix centimètres de son but, elle jaillit. Puis, l'autre main s'éleva. Antonin glissa le chapeau entre ses genoux et enfila une aiguille imaginaire. Il tira le fil, lui fit traverser un bord.

— Ça t'apprendra à rester tranquille, gronda-t-il.

Il mit le chapeau sur sa tête, se fit passer l'aiguille à travers le lobe de l'oreille et assujettit le bord contre sa tempe.

Il trancha le fil d'un coup de dent et se mit à coudre l'autre côté. Il arbora un sourire triomphant et se pavana devant le groupe, soulignant sa victoire.

Les visages rayonnaient d'une chaleur qu'Antonin n'avait pas connue depuis bien longtemps. Il n'avait pas l'estomac noué, ses mains ne tremblaient pas. Sans trop tourner la tête il regarda son public fasciné. Rien de plus simple que la fin du numéro. Et le moment du baisser de rideau était venu.

Il tapota le chapeau et se dirigea vers la sortie du cimetière. Il se retourna pour un geste d'adieu. Les enfants — qui tous l'observaient intensément — lui rendirent son salut.

Quand Antonin pivota sur place, sa tête heurta intentionnellement une branche basse et le chapeau lui recouvrit les yeux. Il tapa du pied, maugréa d'une voix forte. Les enfants rugirent d'enthousiasme.

Il gagna la sortie du cimetière escorté par le bruit de leurs pas et de leurs rires.

De l'autre côté du portail, se tenait un vieillard.

— Monsieur, vous êtes dans un cimetière ! Je vous

demande de ne pas troubler ces lieux. N'avez-vous aucun respect pour les morts ?

Antonin enfonça fermement le chapeau sur sa tête. Il se retourna encore une fois. Les gosses étaient rassemblés près du portail. Ils n'avaient pas le droit de sortir sans être accompagnés.

Il s'éloigna tête haute sous les invectives du vieillard. C'était la plus belle matinée qu'il eût passée depuis son retour à Prague.

7

Il était quatre heures passées quand Antonin rentra
chez lui. Il avait encore une fois rendu visite à Louis,
son imprésario. Et il avait réussi à acheter quelques
pommes de terre au marché libre.

Les pommes de terre étaient en train de bouillir. Avec
une pression de gaz aussi réduite, la cuisson exigerait
près d'une heure. Antonin étendit une petite nappe
blanche sur la table ronde au milieu de la pièce et
dressa le couvert. Il sortit le dernier morceau de
saucisse au foie et remarqua que Pavel avait laissé un
peu de café. Il s'en préparerait une tasse pour donner un
air de fête à son repas. L'estomac tiraillé par la faim, il
attendait que les pommes de terre fussent cuites. A cinq
heures moins cinq, il brancha la radio. Dès que l'appareil
eut chauffé, il le régla sur Londres. L'émission en tchèque
passait à dix-sept heures.

Le martèlement des notes de la Cinquième Symphonie
de Beethoven retentit au moment où il s'asseyait devant
son repas. Il diminua l'intensité sonore.

Les nouvelles étaient mauvaises. Les Allemands se
livraient à des bombardements intensifs sur Londres.
Les nouvelles locales de Prague qui filtraient par les
soins de l'Intelligence Service britannique étaient également mauvaises. Un nouveau Kommandant allemand
avait été nommé. Reimann venait d'être relevé. On

annonçait deux convois de juifs qui devaient partir le lendemain matin, et on prévenait la population que le couvre-feu serait plus strict.

Les informations en étaient là quand un coup résonna contre la porte.

Antonin se figea. Le coup se renouvela. Il éteignit le poste. Le coin de la serviette encore passé sous son col, il alla entrouvrir la porte.

Un homme d'une trentaine d'années se tenait sur le seuil. Il était vêtu d'un imperméable noir, luisant, et tenait une serviette de cuir sous le bras. Il ôta son chapeau, révélant de lourds traits slovaques et des cheveux blonds ondulés.

— Monsieur Antonin Karas ?

L'homme posa la main droite sur le battant et le repoussa. Les doigts d'Antonin tremblaient. Il les plaqua contre la porte.

— Mon nom est Tarchuck, Jiri Tarchuck. J'aimerais vous parler. Au sujet de votre carrière... votre carrière théâtrale.

L'homme était entré et Antonin se retrouva debout, sur le côté, pour laisser le nouveau venu refermer la porte. Il était plus grand qu'il n'avait paru de prime abord. Les yeux du visiteur firent vivement le tour de la pièce.

— J'ai appris que vous étiez libre de tout engagement actuellement.

— Je me repose.

— Oh, je vois que j'ai interrompu votre repas. Puis-je m'asseoir ? Je n'en ai pas pour longtemps.

— Bien sûr, je vous en prie, asseyez-vous. J'avais presque terminé.

L'homme ne s'assit pas immédiatement. Il fit le tour de la pièce pour gagner la chaise, de l'autre côté de la table. Il s'arrêta un instant devant le poste de radio.

— Ai-je troublé votre écoute ?

Antonin avala sa salive.

— J'essayais de le régler.

42

L'homme s'assit. Il écarta les pans de son imperméable et posa le porte-documents sur ses genoux. Il tira un paquet de cigarettes de sa poche.

— Bien sûr. Vous fumez ?

Antonin prit une cigarette. Il s'efforçait de la tenir d'une main ferme.

— J'appartiens au bureau du Reichsprotektor, dit l'homme en tendant une carte.

Antonin alluma sa cigarette et s'assit. La carte tremblait entre ses doigts. Aussi préféra-t-il la poser sur la table.

— N'ayez aucune inquiétude. Je viens vous voir en ami. J'ai un engagement à vous proposer.

Le masque ! Que Dieu m'envoie le masque, pria Antonin.

— Je ne suis pas inquiet. J'ai du travail. J'attends des contrats pour me produire ici même, à Prague.

— Peut-être, mais pour autant que je sache, vous êtes libre. Je m'en suis assuré auprès de votre imprésario.

— Ce genre de choses exige du temps, monsieur... ?

— Tarchuck. Jiri Tarchuck.

— Tarchuck. Excusez-moi. Bien qu'il soit exact que je n'ai aucun engagement pour le moment...

— Nous avons entendu parler de votre dernière représentation à Klatovy.

— Quelle représentation ?

— Vous savez très bien ce que je veux dire.

Antonin cligna des paupières. Etait-il possible que la nouvelle se fût propagée aussi loin ?

— Le salut !

L'homme secoua sa cendre de cigarette dans le cendrier qu'il tenait sur ses genoux.

Antonin avala une gorgée de café. Il sentait des picotements parcourir sa peau. Grand Dieu, jamais il n'avait eu tant besoin du masque.

Soudain, l'homme se pencha vers lui et sourit.

— N'en parlons plus. Je ne suis pas venu pour vous

arrêter. Je ne m'intéresse pas à ce genre de vétilles. Nous avons besoin de vous.

— Besoin de moi ?

Pourquoi diable ne trouvait-il rien d'autre à dire ?

— Pour un spectacle.

— Un spectacle ? Où ? Comment ?

L'homme remit le cendrier sur la table et y déposa sa cigarette. La fumée montait en spirale devant le visage d'Antonin. Celui-ci suivit des yeux les gestes du visiteur qui ouvrait sa serviette et en tirait une petite bouteille de cognac.

— J'ai rapporté ça de France. Un bien long voyage. Voulez-vous vous joindre à moi ?

Il prit le verre d'Antonin et y versa un peu d'alcool.

— Pouvez-vous m'en donner un autre ? demanda-t-il avec un mouvement du menton en direction du buffet.

Machinalement, Antonin se leva et alla lui chercher un verre.

— Maintenant, laissez-moi vous expliquer. *Na zdravi !* dit l'homme, portant un toast.

— *Na zdravi !*

— Nous voulons que vous vous produisiez dans un centre pour enfants.

— Mon répertoire ne s'adresse pas aux enfants, rétorqua vivement Antonin.

Le masque se mettait en place.

— Mais pourquoi ne divertiriez-vous pas les enfants ? Vos camarades vous envieront.

— Je ne souhaite pas donner ce genre de représentation, c'est tout.

— C'est dommage, parce que d'ici un mois, toutes les agences de spectacle et les théâtres seront fermés. Et vous vous retrouverez en train de travailler dans une usine d'armement ou de creuser des tranchées.

— Je ne comprends toujours pas.

— Buvez ! C'est bon, hein ?

Antonin but le reste de son cognac.

— Comme vous l'avez peut-être entendu au bulletin

d'informations de Londres, nous avons un nouveau Reichsprotektor. Une ordonnance va être promulguée. Les théâtres seront fermés par mesure de représailles.

— Pourquoi ?

— A cause de certaines activités stupides de la part de la population. Résistance... attentats.

— Mais alors, où devrai-je me produire si les théâtres ferment ?

— Nous voulons que vous alliez à Terezin.

Le mot frappa Antonin, lui infligeant un malaise subit qu'il parvint difficilement à surmonter. Il toussa, dissimula ses tremblements en portant la main à sa bouche.

— Cette tournée dans ces régions humides ne vous a rien valu. Prenez donc encore un peu de cognac. Oui, à Terezin. Ainsi que vous le savez, le camp a été aménagé à l'intention du peuple juif d'après les directives spécifiques du Führer. Il est autonome et constitue un Etat modèle. Il représente aussi un exemple probant de la mansuétude du Führer envers le peuple juif. Vous verrez.

— Je refuse. Je refuse catégoriquement.

Antonin entendit l'écho de sa propre voix. On eût dit qu'il parlait dans un théâtre vide.

— Je pourrais vous en dire beaucoup plus sur Terezin, mais vous et moi avons déjà entendu tout ça, n'est-ce pas ?

Le sourire inaltérable de l'homme suscita la colère d'Antonin.

— Je crains que vous vous soyez trompé d'adresse, monsieur... ?

— Tarchuck. Jiri Tarchuck. Vous pourrez exercer votre profession. Nous vous offrons cette possibilité. Nous savons quel grand artiste vous êtes et Terezin doit recevoir sous peu une visite de la Croix-Rouge internationale. Vous bénéficierez donc d'un public de classe internationale.

Antonin se leva.

— Je me vois dans l'obligation de vous demander de partir.

— Je crains de ne pas être en mesure d'accéder à votre désir, dit l'homme en se levant à son tour. Je vous en prie, asseyez-vous. Votre mère était juive, n'est-ce pas ?

— Oui.

— Dans ce cas, vous n'avez pas le choix.

— Je ne me produirai pas à Terezin.

— Si. La voiture attend en bas.

L'homme écarta le rideau.

— Là, vous voyez ? Ou vous me suivez de votre plein gré et, dans ce cas, une fois votre engagement terminé, vous serez libre ; ou vous nous obligez à employer la force et dans ce cas, vous resterez au camp.

L'homme alluma une autre cigarette.

— Vous feriez bien de préparer une valise. Je vous attendrai en bas. Vous rendrez un immense service à vos frères.

Il gagna la porte et l'ouvrit.

— Vous les ferez rire. Après tout, pourquoi ne riraient-ils pas ?

Il écrasa sa cigarette sur le linoléum du bout de sa chaussure.

Dix minutes plus tard, un garde et un chauffeur montèrent pour prendre la valise d'Antonin, son violon et son coffret à maquillage.

Trois hommes âgés se tenaient dans la rue et regardèrent Antonin qui montait dans la voiture. Ils étaient encore figés à la même place, immobiles, quand le véhicule se fondit dans le crépuscule.

8

L'heure crépusculaire trouva Antonin installé à l'arrière de la voiture à côté de Tarchuck. Ils roulaient vers l'ouest. Après avoir traversé Prague en direction du nord, la voiture avait tourné vers l'ouest, franchi l'anneau de collines qui entoure la cité, et avançait à présent dans la plaine ; une longue route droite, plate, bordée de pommiers. Les branches nues des arbres ressemblaient à des griffonnages enfantins sur un fond de soleil couchant.

Le chauffeur de la Tatra était un S.S. Il fredonnait une valse. Des poils raides se hérissaient sur sa nuque rouge.

Tarchuck fumait constamment et la chaleur que dégageait le moteur à l'arrière de la Tatra emplissait la voiture d'une tiédeur nauséeuse.

Antonin étouffait de colère. Il savait qu'il était inutile de discuter avec Tarchuck. Celui-ci n'avait eu qu'un sourire pincé depuis qu'ils avaient quitté l'appartement.

De temps à autre, Tarchuck parlait en allemand avec le chauffeur S.S. Jamais il ne s'adressait à Antonin.

A un moment donné, Antonin glissa la main dans sa poche pour y prendre une cigarette, mais il se ravisa ; il valait mieux les économiser. Il avait réussi à en dissimuler trois paquets dans son étui à violon.

A quarante kilomètres de la ville, la voiture ralentit et roula au pas derrière un convoi de tanks et autres véhicules militaires allemands. Antonin envisagea un instant de sauter dans le fossé, mais il s'aperçut que les poignées intérieures avaient été enlevées ; les portières ne pouvaient être ouvertes que de l'extérieur.

Le S.S. dit :

— *Ich habe es erfasst ! Die Reise beginnt !*

Il sourit à Tarchuck dans le rétroviseur et se rabattit sur la gauche, puis appuya sur l'accélérateur. La voiture passa de quinze kilomètres à l'heure à quatre-vingts en quelques secondes. A côté d'eux, le convoi de tanks avançait avec un bruit de tonnerre comme un train lent. Plus loin, il serpentait dans les virages. Les jointures d'Antonin se crispaient sur le siège, blanchissaient.

Après le premier tournant, il vit que le convoi s'étirait sur une longue distance. Le chauffeur devait être fou.

— *Was machen Sie ?* demanda-t-il.

Le chauffeur rit.

Antonin ferma les yeux. Le S.S. et Tarchuck riaient à l'unisson, mais Antonin comprit qu'ils ne s'étaient pas attendus à ce que le convoi fût si long. Impossible de se rabattre entre deux véhicules militaires si une voiture arrivait en sens inverse.

Les tanks avaient creusé des ornières dans le revêtement. Les camions, emplis d'Allemands aux visages renfrognés, cahotaient.

Enfin, Antonin, qui avait fermé les yeux, sentit la voiture obliquer sur la droite, et le chauffeur cria :

— *Alles gut !*

Tarchuck était plié en deux par le rire. Le danger était passé, et il avait eu peur.

Antonin leva les yeux. Les murailles rouges de la forteresse de Terezin, cernant le plus petit des camps, se découpaient dans le lointain.

Au cours des dernières minutes du trajet, Antonin s'était remémoré quelques bribes des livres d'Histoire de son enfance. Il existait deux forteresses à Terezin. Toutes deux avaient été érigées par l'impératrice Marie-Thérèse à la grande époque de l'Empire d'Autriche. Elles se dressaient de chaque côté de la rivière, la plus petite sur la berge orientale, et la plus grande, conçue pour recevoir jusqu'à cinq mille hommes, un peu plus au nord, sur l'autre rive.

L'épaisseur des murailles était telle que maisons et casernes trouvaient place en leurs flancs, et vingt soldats pouvaient marcher de front sur le chemin de ronde. Les murs atteignaient douze mètres de haut et les deux forteresses communiquaient par un tunnel passant sous la rivière.

Si la mémoire d'Antonin ne le trompait pas, les forteresses n'avaient jamais été utilisées au cours d'une guerre. Assez ironiquement, elles abritaient à présent plus de soixante mille personnes s'il fallait en croire les rumeurs qui circulaient.

On pénétrait dans chacune des forteresses par un unique portail, gigantesque trou percé dans la muraille massive, suffisamment large pour permettre le passage des plus gros camions.

La voiture s'arrêta devant l'entrée de la plus grande des

forteresses. Avec une précision typiquement germanique, les Allemands avaient apposé une plaque : *Der Eingang.*

Tarchuck tendit une enveloppe jaune au chauffeur S.S. Celui-ci descendit de voiture, salua le lieutenant du poste de garde et lui remit le pli.

L'officier tenait à la main des feuillets réunis par des trombones. Il ouvrit l'enveloppe, lut l'ordre qu'elle contenait et cocha quelque chose sur sa liste.

— Le bureau du Lagerkommandant est sur votre droite. Passez sous l'arcade et continuez...

— Je sais, Herr Leutnant, coupa le S.S.

Il remonta vivement en voiture et les lourds vantaux jouèrent sur leurs gonds.

Antonin se trouva face à ce qui pouvait ressembler à une petite ville.

Devant lui, des rues, une foule de rues parallèles, grises dans le crépuscule, se coupant avec la précision d'un damier. Derrière lui les vantaux, qui se refermaient bruyamment.

Le chauffeur alluma ses phares. Sur la gauche, masquant la ville proprement dite de la route et de la muraille, se dressait une haute clôture de fils de fer barbelés surmontée d'un mirador d'angle. Antonin distinguait à peine les mouvements de quelques rares personnes de l'autre côté. A part cela, les lieux paraissaient déserts.

La voiture tanguait. Elle semblait rouler sur du verglas. Antonin regarda par la vitre arrière. Ils avançaient le long d'une ligne de chemin de fer encaissée au milieu de la route. Les rails couraient depuis le portail comme ceux d'un tramway. La voie avait été construite récemment, et il se demanda pourquoi il ne l'avait pas remarquée de l'autre côté de l'entrée.

Il y avait longtemps qu'Antonin ne s'était pas efforcé d'analyser ses sentiments. Au cours de la dernière année, il avait eu l'impression d'être attaché à une échelle de corde et de dépenser toute son énergie pour essayer d'en gravir les échelons. En haut de l'échelle était la sécurité,

50

qui avait été la sienne sur les planches. Rien d'autre n'avait eu d'importance depuis la mort de sa femme et bien peu de choses avaient retenu son attention. Son unique préoccupation avait même gommé la guerre qui ne représentait qu'un obstacle de plus le long de l'échelle de corde. Et, dans les moments de réflexion, il comprenait que ses efforts lui avaient causé bien des pertes, y compris celle de ses amis. Ses efforts avaient tourné à l'obsession. S'il réussissait, tout retrouverait sa place et sa vie serait équilibrée, pleine. Jusque-là, ses tentatives n'avaient eu qu'un seul résultat. Une grande fatigue. Une lassitude telle qu'il souhaitait mourir. Seul, le masque l'avait sauvé.

La voiture venait de tourner à droite et roulait sur la voie sud délimitant une petite place. Elle s'arrêta brutalement.

Peut-être était-ce le caractère définitif du bruit des vantaux se refermant derrière lui, ou l'attitude de Tarchuck dans son appartement, ou peut-être même simplement la vue de la nuque du chauffeur S.S., mais soudain, quelque chose se déclencha au plus profond d'Antonin. Sentiment propre, net. Réponse émotionnelle vraie. Réaction que lui seul souhaitait et que lui seul avait fait surgir. Ressort insoupçonné qu'il mettrait à profit. Il avait l'impression que son corps venait de plonger dans un lac glacé. Colère. Colère froide.

Tarchuck lui secouait le bras.

— Allons, descendez.

Antonin se tourna vers lui et leurs yeux se rencontrèrent. La colère que contenait son regard atteignit Tarchuck avec une telle violence que les yeux de celui-ci s'abaissèrent immédiatement sur sa serviette de cuir.

— Le Lagerkommandant attend, dit-il calmement.

Le regard d'Antonin continua à fixer le crâne de Tarchuck. Ce dernier leva de nouveau les yeux au moment où son passager l'enjambait pour descendre par la portière que le S.S. tenait ouverte. Un chien battu, Tarchuck. Chaque fibre d'Antonin se gonflait de colère.

10

Le bâtiment qui abritait le quartier général S.S. à Terezin avait autrefois servi de mess aux officiers. L'extérieur était toujours décoré des ornements apposés deux siècles auparavant, à une époque joyeuse.

A l'intérieur, le hall était vaste et imposant. Sur la droite, se découpait une porte à double vantail aux poignées en bronze et aux panneaux soulignés d'or. Deux sentinelles la flanquaient et une secrétaire en uniforme S.S. était installée à une petite table placée juste devant l'entrée.

Tarchuck lui tendit une autre enveloppe jaune. Elle la décacheta adroitement à l'aide d'un petit stylet. Elle lança à Antonin un regard indifférent et se leva, les papiers à la main. La porte s'ouvrit et se referma derrière elle presque sans bruit.

Antonin regarda Tarchuck. Celui-ci transpirait. Ses doigts avaient laissé des marques humides sur sa serviette de cuir... Il toussa et s'essuya les lèvres du revers de la main.

La femme revint. Nul sourire. Elle maintint la porte ouverte de la main gauche. Antonin remarqua l'alliance, un anneau d'or épais, très large. Il paraissait trop grand pour son doigt.

Tarchuck se mit en marche. Mû par la colère, Antonin passa devant lui et le précéda pour franchir le seuil.

Le Lagerkommandant était assis à son bureau. Rien d'ostentatoire chez lui. Une table de travail très simple. Des papiers bien rangés. Un uniforme étonnamment vierge de décorations.

Il regarda Antonin qui tenait sa boîte à violon et sa valise.

— Alors, vous êtes venu divertir les enfants ?

— J'exige de retourner immédiatement à Prague, déclara Antonin d'une voix forte.

Le Lagerkommandant ne répondit pas.

Antonin répéta ses paroles, d'une voix plus forte. Il attendit. L'homme eut un léger sourire. Antonin remarqua les pommettes hautes, les yeux bleus, profondément enfoncés dans les orbites. Il portait les cheveux très longs pour un Allemand. Ses mains étaient puissantes, soignées.

Une odeur d'antiseptique flottait dans la pièce.

Soudain, le Lagerkommandant se leva.

— Chapeau, dit-il.

Antonin battit des paupières.

— J'ai dit... chapeau !

Tarchuck porta une main humide de sueur à la tête d'Antonin.

— Vous devez vous découvrir devant toute personne portant un uniforme, expliqua-t-il en posant le chapeau sur la boîte à violon.

— Je vous prie de me faire raccompagner à la voiture, fit Antonin. Sinon, je me plaindrai aux autorités.

— Je suis le Lagerkommandant Bürger. Quels accessoires avez-vous apportés ? s'enquit l'officier en allumant une cigarette.

— Je refuse de répondre.

— Seulement son violon et un coffret à maquillage, mon commandant, intervint Tarchuck.

La fumée de la cigarette s'élevait en volutes devant les yeux du Lagerkommandant.

Il se rassit.

— Et le reste de vos affaires ?

53

Antonin ne répondit pas. Il était résolu à laisser sa colère se consumer.

— Ses affaires sont restées à Prague chez lui, dans son appartement, mon commandant.

— Vous avez l'adresse, Tarchuck ?

— Naturellement, mon commandant.

— Assurez-vous de la sauvegarde de ses biens. Maintenant, Herr Karas, venons-en au fait. Je vous en prie, asseyez-vous.

Il leva de nouveau les yeux vers Antonin et celui-ci perçut chez l'officier un changement qui modifia son comportement. « C'est Ales ! » pensa-t-il. « La même attitude, et je réagis comme quand je suis en présence d'Ales. Mais voilà, cet homme est un Allemand. »

Il se laissa tomber sur une chaise.

— Conduisons-nous en gens de bonne compagnie. Tout d'abord, vous recevrez un cachet. Je ne doute pas que votre propre gouvernement, représenté ici par Herr Tarchuck, en ait déjà discuté avec vous.

— Je ne veux pas de cachet et je refuse de me produire.

Dans sa véhémence, Antonin avança le pied vers le bureau. Un grognement s'éleva de sous la table. Il baissa les yeux et découvrit un gros berger allemand bien nourri. Il remarqua que la botte de Bürger caressait doucement le ventre de l'animal pendant qu'il parlait.

— Vous vous trouvez dans un Etat juif. Nous avons notre propre banque à Terezin et notre propre monnaie. Des couronnes juives pour le peuple juif.

Antonin eut tout à coup envie d'une cigarette. Le masque commençait à glisser maintenant que sa colère se dissipait. Il aurait dû la maîtriser, ne pas crier. Il tira son paquet d'une poche et chercha ses allumettes.

Bürger l'observait attentivement. Il laissa Antonin aspirer la première bouffée, puis il dit :

— Ici, fumer est passible de la peine de mort.

Tarchuck fit un pas en avant pour saisir la cigarette.

D'un geste, le Lagerkommandant l'en empêcha.

— Après tout, Herr Karas est un visiteur. Il ne restera chez nous que peu de temps.

Bürger se leva et s'approcha de la fenêtre. Des barreaux la défendaient, rayant le bleu du ciel nocturne. Le chien le suivit. Le linoléum crissait sous ses griffes. Il se recoucha derrière son maître.

— Je suis obligé d'insister, commença Antonin.

— Inutile. Vous n'avez pas le droit d'insister. Et la décision est déjà prise. Vous donnerez un spectacle aux enfants pendant la visite de la Croix-Rouge. Il n'y a pas à discuter. Ensuite, vous serez ramené à Prague.

Antonin tremblait. Qu'était-il advenu de la colère ? Où était le masque ?

— Combien de temps resterai-je ici ? J'ai des engagements qui m'attendent.

Il criait, mais de panique cette fois.

— Votre attitude est fâcheuse, grommela Bürger. Je vous demande de vous conduire correctement et de ne pas crier. Vos papiers, s'il vous plaît.

Antonin hésita. Après tout, cet homme détenait son pouvoir du Reichsprotektor et il était en droit de les examiner.

Le Lagerkommandant s'approcha de lui.

— Les papiers ?

Antonin les produisit. L'officier les prit et les déposa dans le premier tiroir de son bureau, puis il se rassit.

— Bien entendu, ils vous seront rendus quand vous partirez.

— Mais j'ai le droit de les avoir sur moi.

— Je vous l'ai déjà dit, vous n'avez aucun droit. Pourtant, je vous donne personnellement ma parole d'honneur, en tant qu'officier allemand, que vous ne serez pas retenu ici, à Terezin, et que vos papiers vous seront rendus au moment de votre départ.

Il appuya sur un timbre et sa secrétaire entra.

— Faites conduire Herr Karas à ses quartiers et qu'on lui présente Fräulein Lydrakova afin que tous deux prennent les dispositions nécessaires pour le spectacle qui sera donné aux enfants.

Il laissa passer un temps et regarda le violon d'Antonin.

— Jouez-vous du classique ?

— J'ai passé quatre ans au Conservatoire de musique de Prague.

— Je serai enchanté de vous entendre à l'occasion. Nous avons un excellent orchestre ici. L'un de nos cuisiniers dirigeait l'orchestre symphonique de Prague. Herr Tarchuck, transmettez mes compliments à tout le monde au quartier général. Au revoir.

Antonin suivit des yeux Tarchuck qui disparaissait en s'inclinant. Il se sentait anéanti. Il vivait un cauchemar.

— Herr Kommandant, le médecin Sturmführer Teufel est prêt, annonça la secrétaire.

— Il s'agit d'une amputation, n'est-ce pas ?

— Oui, mon commandant, acquiesça-t-elle en remontant nerveusement son alliance trop large.

— Eh bien, faites-lui dire que j'arrive tout de suite.

Il enfila ses gants. Le chien le suivit quand il contourna le bureau. Les deux sentinelles le saluèrent à la porte et Antonin l'entendit dire :

— Cette visite doit se dérouler sans la moindre anicroche. Les ordres nous viennent directement de Berlin.

Antonin s'aperçut qu'il gardait les yeux rivés sur le dos de l'officier. Il se leva, se coiffa de son chapeau. Combien de jours s'étaient écoulés depuis la scène du cimetière avec les enfants ? Une semaine ? Une année ? Il sortit d'un pas traînant, suivi des sentinelles. La secrétaire aux talons carrés ouvrait la marche ; elle franchit une autre porte puis entra dans une pièce donnant sur la rue, à l'arrière du quartier général S.S.

— Votre repas vous sera apporté dans quelques minutes, dit-elle en refermant la porte.

Immobile, il écouta le bruit des pas qui se répercutaient dans le couloir vide.

Une unique ampoule électrique pendait du plafond. Il posa ses affaires sur le lit de bois. Il s'approcha de la porte. Elle n'était pas fermée à clef. Il passa la tête par l'entrebâillement et aperçut deux sentinelles au bout d'un couloir sans fenêtre. Il repoussa le battant. Quels êtres humains — en admettant qu'il y en ait — occupent les autres pièces ? se demanda-t-il.

11

Antonin, seul dans sa chambre, cessa de penser. Les impressions continuaient à l'assaillir. Murs blanchis à la chaux, paillasse, seau émaillé dans un angle, sous la lucarne, table grossière au centre de la pièce et, à côté, tabouret rustique à trois pieds. Il voyait tout cela. Mais il n'en retenait pas grand-chose.

Dehors, dans la rue, quelques pas traînants dans l'obscurité. Quelque part, au-dessus, dans le quartier général S.S., les sons d'un accordéon. Rien pour accrocher l'esprit.

Une mouche se posa sur le fil électrique. Elle se frotta les deux pattes avant, puis se les passa sur les côtés de la tête ; elle faisait sa toilette. Au bout d'un instant, elle traversa le rayon de lumière et il la perdit. Il commença à se demander s'il y avait réellement eu une mouche ou si son imagination lui jouait des tours. Peut-être était-ce un prolongement de son numéro ? Il se leva et partit à la recherche de l'insecte. Il crut l'apercevoir dans l'angle proche de la tinette, mais en se rapprochant, il ne vit qu'une tache noire sur le blanc du mur.

Il se retourna brusquement, espérant retrouver la mouche. Il recula et se heurta la jambe à la table. Il la vit — ou tout au moins, il crut la voir — sur le dessus de la paillasse, mais une fois de plus, elle n'y était pas. Il l'entendait pourtant. C'était sûrement ça... comme le bourdonnement d'un avion, invariablement derrière lui.

— Où es-tu, salope ? s'écria-t-il.

Ses yeux n'étaient plus fixés sur le mur à la recherche de la mouche, mais sur le visage d'un vieil homme qui se tenait debout sur le seuil, portant un plateau chargé d'assiettes et d'un quart en fer-blanc. C'était un visage étrange, ratatiné, déjà sculpté pour la mort. Une main en forme de serre lui tendit le plateau.

Antonin, encore hébété, le prit et le posa sur la table. Quand il se retourna, le vieil homme se tenait toujours à la même place.

— Qui êtes-vous ? demanda Antonin.

Le vieux se tenait au garde-à-vous, les yeux fixés sur le lit. Le violon le fascinait.

— Je suis le 34.592, monsieur, dit-il.

— Inutile de rester au garde-à-vous.

— Oui, monsieur.

Mais il ne bougea pas. Ses gencives édentées se frottèrent l'une contre l'autre tandis que son regard allait du violon à Antonin.

— Depuis combien de temps êtes-vous ici ?

— Longtemps, monsieur... oui, bien longtemps.

— Vous habitez ici, dans ce bâtiment ?

— Non, monsieur. Je suis logé au Q 124.

— Qu'est-ce que c'est ?

— Toutes les rues qui vont, pour ainsi dire... d'est en ouest... on les désigne par des lettres. J'habite dans la rue « Q » la maison 124. Mais on est en train de rebaptiser tout ça.

De nouveau, ses yeux se fixèrent sur le violon.

— Pourquoi rebaptise-t-on les rues ?

Le vieil homme parut ne pas entendre. Antonin répéta sa question.

— A cause de la visite de la Croix-Rouge, monsieur. Toutes les rues vont avoir des noms... Il y a les avenues Bel Horizon, et la Brise, et la Route du Lac.

— Mais il n'y a pas un lac dans un rayon de cinquante kilomètres !

— Ça sonne mieux, vous ne trouvez pas, monsieur ? Pour les gens qui vont venir, les officiels, et tout ça...

Un silence tomba.

— Monsieur... vous jouez du violon ? demanda l'homme.

— Oui, dit Antonin en ouvrant la boîte.

Il sentait l'haleine du vieillard sur sa nuque.

— Il vous faudra le surveiller, monsieur... oui, ce violon... ils volent tout ici... Faites aussi attention à votre montre.

Antonin retourna à la table. Une tranche de pain noir et un peu de soupe dans l'assiette. Du thé dans le quart métallique.

— Ecoutez, mangez ça. Je n'en veux pas.

— C'est interdit.

— Alors, remportez-le. Je n'ai pas faim.

— Non, monsieur.

— Bon sang, emportez ça !

Le vieil homme s'éloigna du lit et saisit le plateau.

— Surveillez bien votre violon, monsieur... il n'y a que des voleurs ici. Nous sommes quatre-vingt-douze au 124, et je ne ferais confiance à personne, monsieur... même pas à ma mère.

La porte se referma et Antonin écouta le bruit des pas traînants qui s'éloignaient dans le couloir. Puis, il entendit les gardes qui criaient. Il ouvrit vivement la porte et vit le vieillard qui tentait maladroitement de se relever. Une sentinelle gardait le pied sur le plateau. Le vieux grommelait des mots indistincts. D'un coup de botte, l'autre soldat envoya rouler le vieillard. De nouveau, il leva le pied.

Antonin se jeta dans le couloir. Il avança de deux pas et s'immobilisa. La sueur perlait à son front et il comprit que, quoi qu'il arrivât, il ne pourrait aller plus loin. Il avait peur. Il retourna en courant dans sa chambre et ferma la porte. Debout, appuyé au battant, il tremblait, écoutait les lamentations du vieillard, le bruit de bottes des sentinelles. Il s'efforça désespérément de se persuader que les soldats ne faisaient que plaisanter avec le vieil homme. Et que tout se terminerait bien.

Puis, il y eut un long silence. Il remarqua qu'il s'était entaillé la paume droite à quatre endroits. Avec ses ongles.

Il essaya d'étancher les gouttelettes de sang avec son mouchoir. Que pouvait-il faire ? Non. Non. Que *devait-il* faire ?

Que devait-il faire ? Ses yeux errèrent sur les murs, en quête d'une réponse. Agir ? Faire quelque chose !

Il ouvrit la porte et regarda dans le couloir. Le vieil homme n'y était plus. Les gardes étaient en position de repos. Des restes de soupe maculaient le sol. Manifestement, les soldats avaient contraint le vieillard à nettoyer de son mieux.

Antonin se précipita. Tout en courant, il reprenait confiance. Il hurlait. Pas des mots. Des syllabes, des grognements.

Les sentinelles se retournèrent.

— Laissez-moi partir. Je m'en vais. Laissez-moi partir.

Son métier lui avait appris à respirer et sa voix portait. Des gens accouraient de tous les coins du bâtiment. Puis quelque chose le frappa à la nuque et tout bascula dans l'obscurité.

Quand il se réveilla, il se trouva sur sa paillasse. La porte était fermée et, à la façon dont le battant adhérait au chambranle, il comprit qu'elle avait été verrouillée de l'extérieur.

Il s'assit. Son épaule droite le faisait souffrir mais n'entravait pas les mouvements de son bras. Il se demanda quelle heure il pouvait être. Sa montre semblait arrêtée.

Une cigarette ! Au diable leurs règlements. Il ouvrit sa boîte à violon. Il y avait caché trois paquets. Tous avaient disparu. Il se rappela le vieil homme. Il s'était tenu près du lit. Le salaud. Puis, il se souvint de ce qui était arrivé au vieux et il se leva, honteux.

Alors, il vit la mouche. Elle était sur le mur, à une soixantaine de centimètres au-dessus de la tinette. Il retint son souffle. En équilibre sur une jambe, il ôta sa chaussure gauche, puis il avança lentement, sans bruit.

Il écrasa la mouche du premier coup, laissant une étoile rouge et brune sur le mur. Mais il continua à frapper jusqu'à ce qu'il eût une crampe. Il dut s'arrêter.

Son épaule le tourmentait et il était fatigué.

Il se traîna jusqu'à sa paillasse, y enfonça la tête, pleura. Mais l'odeur de sueur de celui qui l'avait précédé l'obligea à se retourner. Couché sur le dos, il continua à pleurer.

12

L'aube se levait à peine sur Terezin quand la frêle silhouette d'un gamin de quinze ans se glissa silencieusement dans le dortoir des garçons au L 365, depuis peu rebaptisé Chemin du Bois, et dans un chuchotement, rapporta la nouvelle.

Les couchettes étaient superposées comme des étagères. Il y en avait cinq par rangée, ce qui laissait cinquante centimètres au-dessus de la tête de chaque occupant. Comme la salle mansardée mesurait quinze mètres de long sur dix de large, on avait calculé que la largeur d'un mètre pour chaque bloc de lits et un passage d'un mètre entre chaque rangée permettait de coucher cent vingt garçons.

— Un clown. Il y a un vrai clown, ici, au camp. Un clown !

La rumeur ne demanda pas plus de trente secondes pour se répandre de l'un à l'autre en un murmure dans la pièce dépourvue d'aération, plongée dans un demi-sommeil.

Nouvelle passionnante. Bonne nouvelle. Ce jour-là, on savait qu'un convoi devait partir vers l'est. Pendant la nuit, on avait entendu les manœuvres du train, le choc des wagons que l'on accrochait les uns aux autres de l'autre côté du mur. Les noms de ceux qui y seraient entassés allaient être annoncés par les Anciens de l'Etat juif au début de la matinée. Ils seraient rassemblés au Scholjska, vaste et redoutable baraquement situé au bout de la voie ferrée, à l'intérieur du camp. Et, dans la soirée, tous seraient partis. Nombre de garçons du L 365 avaient encore des parents. La nouvelle de l'arrivée du clown contribua pour une large part à écarter de leur esprit l'événement majeur de la journée.

Les garçons et les filles de moins de seize ans avaient été séparés de leurs parents à Terezin deux ans auparavant. Ainsi les adultes pouvaient poursuivre leurs activités sans être entravés par les liens familiaux et les enfants pouvaient bénéficier d'une éducation moderne, saine.

Ils pouvaient aussi s'adonner à l'étude de la langue allemande en toute sérénité.

Les dortoirs des filles étaient disséminés un peu partout dans le camp. Il y avait une différence en ce qui les concernait. A partir de quatorze ans, elles étaient autorisées à rendre service aux soldats, ce qui leur valait des privilèges spéciaux.

La plupart des adultes étaient séparés de façon analogue ; les couples mariés étaient autorisés à se retrouver une nuit chaque semaine, faveur qui leur était retirée si la femme devenait enceinte.

Pourtant, des enfants vinrent au monde à Terezin et certains vécurent assez longtemps pour accompagner leurs parents dans les convois.

Au L 365, la nouvelle de l'arrivée du clown s'assortissait d'une autre rumeur qui donnait lieu à bien des commentaires. Apparemment, les filles du M 32 devaient se joindre à eux pour organiser un spectacle. Celui-ci serait plus grandiose que la pantomime « Brundebar » représentée en secret et qui avait connu un tel succès l'année précédente. La représentation serait donnée dans une zone du camp spécialement choisie, entourée d'une palissade. Les dignitaires internationaux et peut-être Herr Goebbels en personne assisteraient aux festivités. Et il y aurait des gâteries. Une ration de pommes de terre supplémentaire, peut-être même de la viande et un peu de chocolat.

Le Lagerkommandant devait distribuer cette manne lui-même, aidé de quelques « kapos ».

Ainsi, dans l'ensemble, les bonnes nouvelles de la journée compensaient les mauvaises. A condition qu'on eût de la chance.

Pour Vera Lydrakova, qui avançait le long de la rue
« M » (pas encore rebaptisée) pour aller retrouver ses
filles au M 32, la journée n'avait pas débuté aussi bien.
Pour commencer, le temps était à l'humidité, avec de
gros nuages amoncelés sur les collines, à peine visibles
vers le nord, juste par-dessus les murs du camp. Cela
annonçait la pluie ou, pis encore, la neige.

Elle avait toujours été très affectée par le temps,
depuis sa petite enfance, alors qu'elle habitait rue
Strahovska, près du château de Prague. Les conditions
atmosphériques influaient invariablement sur son humeur
du jour. Aujourd'hui, ils allaient encore rassembler des
prisonniers pour un convoi en partance vers l'est. Ce
serait surtout des vieux ou des détenus politiques. Vera
n'avait plus de parents à perdre. Ils étaient déjà tous
morts ou avaient été déportés. Elle n'avait qu'à se
soucier d'elle-même, et elle était jeune, grande, et
encore pleine d'énergie. Elle tablait sur la sympathie
non déguisée qu'elle inspirait à Bürger pour réaliser de
petits miracles en faveur de ses filles. Mais elle savait
qu'un jour viendrait où l'officier exigerait sa récompense. Jusque-là, le Lagerkommandant ne lui avait pas
fait d'avances qu'elle ne pût repousser, occupé qu'il
était avec d'autres et surveillé attentivement par sa
propre fille, jeune et jolie.

Vera s'activait donc, mue par l'espoir qu'elle nourrissait.

Tout en marchant, elle s'aperçut que, déjà, nombre de personnes âgées faisaient la queue avec leurs gamelles pour recevoir la soupe de pommes de terre que les cuisiniers distribuaient à la louche au bout de la « M ». Les prisonniers stationneraient, debout, en file indienne, pendant une heure ou plus, tant qu'il resterait de la soupe. On la puisait dans un vieux fût de pétrole posé sur un chariot fait de bric et de broc.

Vera sourit et adressa des signes de la main à ceux qui attendaient. Elle se sentait un peu mieux à présent. Sans doute le temps seul était cause de son état dépressif. Il fallait qu'elle se secoue. Il restait à faire face au convoi. Toute la matinée, on rassemblerait ceux qui devaient partir et on leur donnerait la carte portant un numéro qu'ils devaient suspendre à leur cou.

Il lui faudrait faire appel à toute son énergie pour écarter de l'esprit des enfants ce qu'impliquaient les bruits de la rue. Sans aucun doute, certaines d'entre elles perdraient un parent. Il fallait tenir, passer la journée.

« Je suis devenue une pierre », se dit-elle. L'alternative eût consisté à devenir aveugle et sourde. Mieux valait être une pierre.

Quelques moineaux picoraient les miettes qui tombaient sur le pavé quand les cuisiniers rompaient le pain accompagnant la soupe des vieux.

Antonin s'assit sur le bord du lit. La nuit avait été
longue, froide. Sous l'effet de l'humidité, ses vêtements
collaient à sa peau. Son esprit sautait d'un sujet
à l'autre. Vieilles plaisanteries, effets usés, odeur du
foyer des artistes dans un théâtre de province, sa mère
en train de faire cuire le pain, lui, enfant, courant vers
l'école tandis que la neige crissait sous ses bottes... son
appartement avec les bibelots qu'il aimait sur le dessus
de la cheminée... la photo de sa femme.

Mais à quoi bon tout ça... Il était là. A Terezin. Il
s'efforça de rassembler ses idées. Faire face à la réalité.
Mais voilà que son esprit s'échappait pour retomber dans
les eaux bourbeuses des souvenirs. Coins et recoins. Tout
plutôt que se retrouver ici. Un peu comme lorsqu'on
sait qu'il faut répéter. On essaie à tout prix de commencer, mais on remet invariablement à plus tard. On se
change, on va aux lavabos, on prend un verre, on ramasse
les cendriers et on les vide, on balaie le tapis.

Du coin de l'œil, il aperçut sa chaussure, à côté de la
tinette.

S'ils l'obligeaient à faire son numéro. S'ils le for-
çaient à travailler pour eux. Il se contenterait de se
tenir debout, silencieux. Ils le fusilleraient probablement. Mais ça n'avait pas beaucoup d'importance. Si,

ça en avait. Ça en avait beaucoup. Il ne voulait pas être fusillé.

Il ramassa la chaussure et l'enfila sur sa chaussette humide. Autre chose... ce Bürger, le Lagerkommandant, il avait promis. Et Antonin n'avait aucune raison de mettre sa parole en doute. Un court séjour pour se produire pendant la visite de la Croix-Rouge. Et puis, le retour à Prague. C'était un engagement, non ? Et probablement bien payé, quoiqu'il ne comprît pas cette histoire d'argent. Une banque ici, dans le camp ?

Le lacet de sa chaussure cassa. Difficile de trouver des lacets. Il en noua les deux extrémités, réussit à faire tenir le soulier. D'ailleurs, ceux qui se trouvaient là... ne prétendait-on pas qu'ils étaient soixante mille ?... seraient heureux d'avoir l'occasion de rire. Evidemment, il parlerait à Bürger et lui expliquerait que son répertoire ne convenait pas aux enfants. Il faudrait exiger deux spectacles pour adultes chaque soir. Bürger était un homme d'honneur. Il souscrirait à ses revendications. Sans aucun doute. Ne lui avait-il pas demandé de jouer du violon pour lui... et du classique, qui plus est ?

— Debout et suivez-moi. *Ich habe es eilig.*

Un S.S. se tenait devant lui.

— Et mon petit déjeuner ?

— *Später !*

L'homme fumait une cigarette. L'odeur titilla les narines d'Antonin, alluma en lui le désir de tabac.

— Commencez par me suivre, ordonna le soldat.

Antonin saisit son violon et son chapeau. Le coffret à maquillage ? Il s'en chargea aussi.

Le S.S. entraîna Antonin dans la rue desservant l'arrière du quartier général de la Gestapo.

C'était la première fois qu'il voyait Terezin de jour. La rue, toute droite, qui traversait la forteresse, d'une muraille à l'autre, était d'une grisaille étonnante. Elle mesurait environ sept cents mètres de long. Les bâtiments qui la bordaient de chaque côté n'étaient que murs froids, clos, coupés avec une exactitude mathématique par d'autres rues analogues. Avant la guerre, ces sombres bâtiments avaient abrité la garnison militaire et ceux qui l'approvisionnaient, marchands, maraîchers, merciers, tailleurs.

Le S.S. prit Antonin par le bras et le poussa dans la rue en direction du mur ouest.

Peu de signes de vie. Pourtant, l'heure n'était pas matinale. Quelques personnes âgées attendaient encore à côté de la roulante. Antonin entrevit brièvement un tout petit enfant à une fenêtre.

Le bruit des bottes du S.S., luisantes comme un miroir, se répercutait sur les pavés — dans une ville vide. Et pourtant, soixante mille êtres humains... Où étaient-ils ?

Enfin, après avoir passé plusieurs pâtés de maisons, Antonin vit deux hommes qui changeaient le nom porté sur la plaque de la rue. Sur une couche de peinture fraîche, ils avaient déjà écrit : ALL... Antonin pensa qu'il devait s'agir d'une Allée quelconque. Il leur cria bonjour, mais les hommes se contentèrent d'ôter leur chapeau au passage du S.S. et ils se remirent au travail. Leurs visages étaient gris, comme les murs. Pourtant ils n'étaient pas vieux.

A l'intersection suivante, Antonin se trouva face à une haute palissade. Le S.S. tira une clef de sa poche et ouvrit un petit portillon ménagé dans les planches. Antonin pénétra à l'intérieur de l'enceinte. La porte fut verrouillée de l'autre côté. Devant lui, s'étendait la place de la « ville ». Un tapis herbeux menait à une grande église baroque. Sur la gauche, se dressait l'hôtel de ville. Sur la droite, une banque et plusieurs magasins. Au centre de la pelouse, un kiosque à musique avait été érigé ainsi qu'un théâtre de verdure. Les bâtiments avaient récemment été repeints et, à quelques-unes des fenêtres, éclataient les taches colorées de chrysanthèmes, bouffée d'air pur dans le ciel froid, nuageux de décembre.

Derrière Antonin, la palissade, constituée de planches brutes de l'autre côté, était peinte d'un vert brillant. La petite porte par laquelle ils étaient passés se devinait à peine sous le camouflage d'une fresque de fleurs printanières.

Antonin éclata de rire. Les Allemands avaient construit un décor de film. Ils s'étaient évertués à transformer le camp en un paradis juif. Le long mur vert constituait la toile de fond. L'herbe avait probablement été découpée en bandes dans les prés de la Slovaquie du Sud et posée à même la terre nue. La peinture brillante des bâtiments apportait son clinquant au décor. Ainsi, c'était là ce que les délégués de la Croix-Rouge et le Dr. Goebbels allaient admirer ? Antonin continuait à rire. C'était si typique. Si fidèle. Si charmant. Même le plus fieffé des imbéciles de toute la Croix-Rouge ne manquerait pas de s'apercevoir qu'il s'agissait d'un trompe-l'œil.

— *Warum lachen Sie ?*

Le S.S. était furieux, déconcerté par l'attitude de l'artiste.

— Je ris parce que... c'est... c'est..., bredouilla Antonin, incapable de se contenir. C'est idyllique... Un vrai conte de fées !

Quand Antonin eut cessé de pouffer, il perçut le léger sifflement d'un train, à l'autre bout du camp.

15

Vera Lydrakova leva la tête. Elle aussi entendait le sifflet du train. Mais elle ne pensait plus. Elle était sourde à de telles intrusions dans sa routine quotidienne.

Les longues poutres du plafond mansardé de sa classe, qui abritait les soixante-dix-neuf filles du M 32, dégoulinaient d'humidité. La fenêtre, sorte de vasistas de cinquante centimètres sur deux mètres, était recouverte d'un rideau noir afin qu'aucun Allemand ou un « kapo » passant dans la rue ne pût se rendre compte qu'elle enseignait. Ce jour-là, le rideau l'aidait aussi à résoudre un autre problème. Il assourdissait le bruit qui commençait à monter de la rue.

Une fillette de treize ans, Anna, était assise sur un petit banc, à côté de la trappe pratiquée dans le plancher et qui conduisait à l'escalier et aux autres parties de la maison. De cet emplacement, elle entendait immédiatement si quelqu'un entrait à l'étage au-dessous.

Des biens précieux parsemaient le plancher. Un pot de terre fendu contenant un géranium. Des galets ronds et polis. Des lambeaux de couverture. Une paire de chaussures. Des sacs de toile taillés dans des draps d'hôpital, recelant allumettes, crayons, craies et même de petits morceaux de bois lisse.

Chacune devait posséder quelque chose qui lui fût

propre. Rien n'était inutile. Il suffisait qu'il s'agît d'un bien.

Le train siffla encore. Cette fois, à l'intérieur des murailles. Vera scruta les visages. Peu de réactions visibles. Mais, en fait, chaque fille était presque totalement absorbée par ses propres inquiétudes. Les noms de ceux qui devaient partir avec le convoi, n'avaient pas encore été tirés au sort. Les Anciens avaient passé la nuit à décider. Il y avait eu des rencontres secrètes et des délégations. Des tentatives de corruption. Des sommes d'argent avaient indéniablement changé de main et des noms avaient été rayés. Des mères s'étaient offertes pour sauver leurs enfants, ou se sauver elles-mêmes. Horrible besogne pour le Conseil des Anciens. Ceux-ci étaient censés gouverner Terezin, et quand un convoi partait pour les camps de travail de l'est, on n'entendait plus jamais parler de ceux qui en faisaient partie. Les Anciens n'étaient pas tous hommes de bien. Quelques-uns s'acharnaient à sauver leur peau ou à la vendre cher. Les hommes sont ainsi faits. Se préserver était devenu un mode de vie au camp. Quand l'une des filles de Vera était emmenée, elle laissait ses biens à une amie. Si elle devait partir subitement, comme cela pouvait se produire ce jour-là, ses biens seraient volés, avant même qu'elle eût quitté la pièce.

On entendait les wagons à bestiaux qui manœuvraient sur la voie de garage, au beau milieu de la rue « A », à côté du Schlojska.

Vera se leva. Elle était restée assise en tailleur comme ses élèves sur les planches rudes du grenier. Il lui fallait agir. Inventer quelque chose pour leur occuper l'esprit.

Les longues jambes de Vera l'empêchaient de se tenir debout dans le grenier ; elle devait se courber. Tout enfant, elle avait déjà eu une conscience aiguë de son corps. Sa chair ferme la satisfaisait mais, ce jour-là, elle était parcourue par des picotements de nervosité.

Soixante-dix-neuf étoiles de David lui faisaient face. Elle secoua ses cheveux blonds, habitude qui remontait à l'époque où on avait le droit de porter des cheveux longs. A présent, ils étaient plus courts que ceux de bien des garçons.

Toute l'astuce consistait à axer l'esprit des filles sur le lendemain. A prétendre qu'il y aurait toujours un lendemain. Un lendemain à des années de distance.

En quelques minutes, elle provoqua une ardente discussion. Les enfants se jetaient sur n'importe quoi. L'enseignement était un dérivatif.

Elle s'entendit dire :

— Cela peut paraître fantastique, mais une telle chose est possible. Hier soir, je parlais au Dr. Koch...

Maria, une fillette de onze ans, bien développée, l'interrompit :

— Vous voulez dire, aller dans la lune ? demanda-t-elle, les yeux élargis d'émerveillement.

Seule, Jana, au fond du grenier, ne la regardait pas. Elle écrivait, appliquée, sérieuse.

— Non seulement y aller, mais y vivre. Anna, quelle est la difficulté la plus importante que l'on doive surmonter dans une telle expédition ?

Anna fronça les sourcils. Puis, elle haussa les épaules. Les enfants pouffèrent. Anna aimait jouer au football avec les garçons. Comme à l'accoutumée, son esprit vagabondait.

— Maria, qu'en penses-tu ?

— Je ne sais pas.

— L'une de vous a-t-elle une idée ?

De nombreuses mains se levèrent.

— Luba ?

— Mademoiselle Lydrakova, est-ce que ce ne serait pas l'air ?

— Exact. L'oxygène. Il faudra porter une sorte de combinaison contenant une réserve d'oxygène.

— Mais quitter la terre... c'est tellement loin, commenta Luba.

— Il faudra surmonter la pesanteur terrestre. L'une de vous peut-elle m'indiquer sa force ? Quelle est la force d'attraction de la terre ?

On criait dans la rue à présent et Vera entendait le martèlement des bottes sur le pavé. On connaissait les noms figurant sur la liste.

— Allons, vite. Qui peut répondre... Luba ?

— L'intensité de la pesanteur terrestre est de 980 centimètres par seconde.

— Exact. Et jusqu'à quelle distance de la surface terrestre s'exerce-t-elle ?

Les yeux sombres de Maria plongèrent dans ceux du professeur. La fillette aussi cherchait à s'occuper l'esprit. Vera lisait le vide dans son regard.

— Jusqu'à la lune ? proposa Maria.

— Non.

Quelques mains se levèrent, tentant d'attirer son attention. Vera se demandait ce que Jana écrivait avec autant d'application. Elle n'avait pas cessé de griffonner depuis le début de la classe.

Dehors, dans la rue, des portes claquaient, des ordres retentissaient, criés en allemand. Tout devait être fait au pas de course.

— Non, Maria. Seulement une centaine de kilomètres. Après quoi, il n'y a plus d'atmosphère.

— Mais si on manquait la lune, on continuerait à jamais.

— Les premiers hommes qui iront sur la lune devront être très courageux. Mais, après un certain temps, tout sera calculé de façon tout à fait précise et n'importe qui pourra y aller. Le Dr. Koch assure qu'une fois dans l'espace et pointé dans la bonne direction, il serait difficile de manquer la lune.

Il y eut des rires.

Vera s'approcha du vasistas et souleva le rideau noir.

— Combien d'entre vous croient réellement qu'un

jour nous irons sur la lune ? demanda-t-elle sans oser se retourner pour les regarder.

Un silence angoissé pesait sur la pièce. Dans la rue, trente personnes étaient disposées en file, comptées et recomptées.

Vera se retourna vers sa classe. Toutes savaient ce qui se produisait au-dehors, pourtant elles voulaient jouer le jeu avec elle.

— Vous ne m'avez pas répondu. J'ai demandé combien d'entre vous croient que nous irons sur la lune ?

Six mains se levèrent.

— Vous n'êtes que six ?

— Je sais que c'est impossible, dit Luba.

— Rien n'est impossible.

— Si. Ça, c'est impossible, dit Luba. Dieu ne le veut pas.

— Je crois que Dieu le veut, Luba. Il nous a donné tout l'univers à explorer. Quelle sorte de monde souhaiteriez-vous créer dans l'espace ?

— Un monde où chaque fille aurait sa chambre, déclara Luba.

— Et beaucoup de gâteaux au chocolat, lança Anna. Les plus gros gâteaux au chocolat du monde !

La classe rit de nouveau. Tout le monde riait de n'importe quoi en ces temps.

— Oui... et un monde où il n'y aurait pas de guerre, ajouta Maria.

— Et pas de garçons ! trancha Freda du fond de la classe.

Une fois de plus, les rires s'élevèrent.

Jana leva les yeux. Ils rencontrèrent ceux de Vera. Mais ils ne recelaient aucun message. Elle se replongea immédiatement dans sa page d'écriture.

— Eh bien, je n'aimerais pas un monde sans garçons, dit Vera.

— Ça ne durerait pas bien longtemps si nous étions seules, fit Maria d'un ton sérieux.

— Non. Il n'y aurait pas de bébés, approuva Luba.

La classe convint que les garçons ne devaient pas être évincés.

Vera entendit de nouveaux cris dans la rue. Elle ne put se retenir. Elle souleva le rideau. La première intersection semblait être le point de rassemblement pour la marche vers le Schlojska.

— Combien en emmènent-ils ? demanda soudain Anna.

— Quelques-uns seulement.

— Quand le convoi doit-il partir ? s'enquit Luba sans trace d'émotion dans la voix.

— Oh, probablement ce soir, dit Maria.

Vera sentit monter la tension. Si seulement ils n'étaient pas revenus pour en chercher d'autres. La classe avait été oubliée la première fois. Mais il y avait toujours la possibilité de substitutions de dernière minute. Jusqu'au départ du train, on n'était jamais sûr.

— Peut-être qu'après la guerre, si nous allons sur la lune, il y aura un rapprochement de toutes les nations, il n'y aura plus de guerres et les gens vivront heureux, dit Vera.

— Si on ne veut plus de guerre, on devrait laisser gouverner les femmes ! s'écria Anna.

Cette déclaration suscita un nouvel éclat de rire et Vera dut lever la main pour obtenir le silence.

— Eh bien, je ne vois pas pourquoi les femmes ne gouverneraient pas, renchérit Maria.

— Chez moi, quand je serai mariée, c'est moi qui gouvernerai, affirma Luba. Mon mari m'obéira.

Vera ne parvenait pas à contrôler ses mains et le faux badinage des enfants la déprimait encore davantage. Elle eût souhaité leur crier de se taire. Ou simplement se ruer hors de la pièce, les abandonner. Fuir. N'importe où.

— Quelqu'un vient !

Anna prononça ces mots d'une voix forte. C'était l'habitude. Chacune des filles devait l'entendre. Tout ce qui servait à l'enseignement disparut et les livres de chants allemands firent leur apparition. Ce fut fait avec soin et précision.

Au moment où elles entonnaient les premières mesures de « O Tannenbaum », chant sur lequel Vera était tombée en ouvrant son livre, la tête d'un S.S. apparut dans l'ouverture de la trappe. Immédiatement, la classe se tut et se mit au garde-à-vous. L'air était chargé d'électricité.

— Fräulein Lydrakova ? Veuillez me suivre.

— Très bien, mes enfants. Asseyez-vous et continuez à chanter. Mais choisis un autre air, Luba. Quelque chose qui convienne mieux aux circonstances.

Vera s'efforçait de paraître calme. On allait lui annoncer de mauvaises nouvelles. Si seulement ses mains cessaient de trembler. Son tic, la forçant à rejeter les cheveux en arrière, se manifesta, incontrôlable. Elle descendit les marches jusqu'au palier du dessous.

Antonin était là. Il l'attendait.

16

En haut, dans la classe, on chantait une douce berceuse. Le chant de Terezin. Suite de mots évocateurs. Il s'élevait toujours aux moments difficiles.

— Qu'est-ce qui se passe ? demanda doucement Anna à Luba. Qu'est-ce que ça peut être ?

— Un autre convoi. Il est probablement venu chercher quelqu'un.

— Il va y avoir des fusillades, dit Maria.

— Il y en a déjà eu ce matin, assura Freda.

Marta, une jolie fille de treize ans aux grands yeux bruns et aux cheveux blonds, ondulés, leva les yeux de son dessin.

— Ils ont fusillé Branich et Husak.

— Peut-être que la guerre est finie et qu'on va tous rentrer chez nous.

— Ouais, ou vivre dans la lune ! ironisa Maria.

— Vous finirez toutes dans les camps de travail de l'est. C'est le sort qui nous attend. Assez bavardé, chantons pour de bon.

Le chant s'enfla soudain quand des paroles tchèques se substituèrent à la version allemande et il parvint aux oreilles d'Antonin et de Vera, à l'étage au-dessous.

Le S.S., qui officiellement assumait le nouveau rôle de directeur des relations publiques du camp, venait de présenter Antonin à Vera. Il avait chargé cette dernière d'emmener M. Karas au quartier des garçons au L 365 dès que possible et lui avait donné ordre de commencer sur-le-champ les préparatifs du spectacle. Il avait tendu à Vera une feuille de papier, document officiel émanant du bureau de Bürger. Il portait aussi le timbre du Conseil des Anciens. Elle y jeta un coup d'œil, puis elle plia le papier et le glissa dans la poche de sa robe.

— Eh bien, allons-y, monsieur Karas...

— Sachez que j'agis contre ma volonté.

— Ici, nous en sommes tous là.

— Après la visite de la Croix-Rouge, je retournerai à Prague. J'ai de nombreux engagements auxquels je ne peux me soustraire.

— J'en suis persuadée. Eh bien, par quoi allons-nous commencer ? (Elle eut un sourire gêné.) Je vois qu'ils ne vous ont pas donné d'étoile jaune. Il serait bon que vous vous en procuriez une. Il peut être dangereux de circuler dans le camp sans la porter.

— Oui, bien sûr, marmonna-t-il avec un petit toussotement nerveux.

Il ne s'était pas attendu à quelqu'un du genre de Vera. Il avait imaginé l'institutrice classique.

— Je n'ai malheureusement pas eu beaucoup le temps

de fréquenter les théâtres, monsieur Karas. Je suivais des cours aux Beaux-Arts et j'ai passé bien des heures à traîner inutilement dans les galeries...

— Si vous aviez été une habituée des théâtres, vous auriez entendu parler de moi, déclara Antonin. (Il n'avait pas l'intention de plastronner. Seule son extrême nervosité l'incitait à parler.) Je n'ai jamais donné de spectacles pour les enfants. Je l'ai précisé au Lagerkommandant, mais il m'oblige à me produire devant eux.

— C'est un imbécile. Ainsi, vous n'êtes pas habitué aux enfants ?

— Ce n'est pas ça. Je donne des spectacles pour adultes. Tous mes numéros sont conçus de façon assez élaborée...

— Moi aussi, j'essaie de trouver le secret, depuis des années et je ne désespère pas d'y parvenir un jour. Entre-temps, nous sommes tous embarqués dans la même galère. Ecoutez-les.

— On parle d'un convoi...

— Oui. Il doit partir ce soir. Avant que nous allions voir les garçons, aimeriez-vous voir mes filles ? Nous faisons la classe tous les jours et, quand nous sommes interrompus, nous faisons mine de dessiner et de chanter.

Vera frappa contre la trappe. Deux coups longs, un court. Elle l'ouvrit.

— Pardonnez-moi si je vous parais bizarre, dit Antonin. Tout est nouveau... et, très franchement, je ne m'attendais pas à rencontrer quelqu'un comme vous ici.

Vera le précédait sur l'escalier. Il remarqua la beauté de ses jambes.

— Vous aussi, vous êtes assez surprenant, monsieur Karas.

De nouveau, il eut un rire nerveux.

— Probablement. Je suis heureux que nous travaillions ensemble... bien que je sois toujours opposé à ce projet. Catégoriquement. Mais s'il faut absolument en passer par là, je suis content que ce soit avec vous.

18

Quand Vera émergea de la trappe, ses élèves se
levèrent.

— Mes enfants, je vous présente M. Antonin Karas, le
célèbre comédien, le clown bien connu. Il est venu nous
donner une représentation. Comme vous le savez, nous
devons monter un spectacle avec les garçons.

— Bonjour, M. Karas, firent les filles en chœur.

— Asseyez-vous, mes enfants, dit Vera d'un ton qui lui
parut curieusement affecté.

Antonin eut un geste timide de la main qui souleva un
éclat de rire. Dehors, résonnait encore le pas des soldats.
Acier contre pierre. Précision.

— Vous pouvez passer au dessin, dit Vera qui se
tenait à côté de Marta. Tiens, tu en as déjà fait un... Oh,
il est magnifique. Montre-le à M. Karas.

La fillette tendit à Antonin la page d'un vieux cahier
sur laquelle elle avait dessiné un papillon jaune. Il
s'envolait au-dessus d'un mur qui, vers l'intérieur, était
d'un brun sale alors qu'à l'extérieur, il y avait des arbres
et des champs.

— Qu'est-ce qu'il signifie ? demanda Antonin.

Question stupide, mais aucune autre ne lui était venue
à l'esprit.

— C'est pour illustrer le poème de Jana.

— Alors, c'est à ça que tu étais occupée quand nous

étions toutes parties pour la lune, Jana ? Veux-tu nous le montrer ?

Vera se pencha, entourant d'un bras les épaules de Jana.

— Oh, ça ne vaut pas la peine, mademoiselle.

— Peut-être que tout le monde aimerait l'entendre quand même ?

Un chœur de « oui » s'éleva.

— Bon. Mais lisez-le vous-même, mademoiselle Lydrakova.

— Très bien.

Vera prit la feuille et la parcourut des yeux. Antonin se tenait à côté d'elle, gêné.

Vera commença :

Le Papillon

Le dernier, le tout dernier,
d'un jaune éclatant,
somptueux, éblouissant.

Peut-être que si les larmes du soleil
criblaient une pierre
blanche...

Un tel jaune jaillirait
très haut, léger dans l'air.

Il est parti, je le sais
pour donner au monde un baiser.

Pendant sept semaines, j'ai vécu ici
au cœur
du ghetto.

Mais j'ai trouvé mon peuple ici.
L'herbe m'appelle, crie

Comme les cierges blancs du marronnier de la cour.
Je n'ai jamais vu un autre papillon.

Ce papillon était le dernier, le tout dernier,
Les papillons ne vivent pas ici,
au cœur
du ghetto.

Un silence suivit.

— C'est beau, dit Antonin.

Les enfants applaudirent. Jana rougit et Vera surprit une larme qui lui perlait aux yeux.

Elle pressa la fillette contre elle. Marta s'avança et embrassa Jana à son tour. Vera les prit toutes deux dans ses bras.

— Il faut le signer et le montrer au Dr. Koch. Je pense qu'il voudra le recopier. Qui sait s'il ne le publiera pas un jour et tu seras célèbre.

— Nous serons toutes célèbres, dit Anna. Parce que nous aurons été les premières à l'aimer.

Les enfants applaudirent encore et se mirent à rire.

— Eh bien, maintenant, il faut que j'accompagne M. Karas chez les garçons, annonça Vera.

— Est-ce qu'on peut y aller aussi, mademoiselle ? demanda une élève.

— Non. Je ne tarderai pas à revenir. Continuez à dessiner. Si quelqu'un vient, faites tout disparaître avant de le laisser entrer. Luba, surveille la classe.

Toutes les fillettes se levèrent.

— Au revoir, M. Karas. *Dobry den.*

— *Dobry den*, répondit Antonin.

Vera et Antonin descendirent les marches. La jeune fille leva le bras pour refermer la trappe. Antonin la devança. Dans son geste, il lui effleura l'épaule. Elle rougit.

La trappe refermée, ils s'engagèrent dans le couloir conduisant à l'escalier principal. Ils passèrent devant les alvéoles de l'enfer qui abritaient des douzaines d'adultes. Puis, ils débouchèrent dans la rue.

La rue était vide. Vera sourit, soulagée.

— Cette enfant a beaucoup de talent. Son poème est vraiment très beau.

— Oui, dit Vera. Son père a été désigné pour le convoi ce matin. Le document que m'a remis le S.S. était sa fiche. Elle ne le sait pas encore.

— Mon Dieu. Qui le lui dira ?

— Moi. Quand je reviendrai. Coupons par l'arrière des baraquements. Ils sont tellement occupés avec ce maudit convoi qu'ils ne nous remarqueront pas.

Antonin la suivit. Elle accélérait le pas.

19

Là, tout en marchant à côté de Vera qui avançait d'un pas fier, Antonin découvrit une autre facette de son nouvel univers. Des gens au travail. La jeune femme lui avait déjà appris que la plupart des internés étaient affectés à une besogne quelconque. Les enfants nettoyaient les cantonnements. Les jeunes travaillaient aux champs, en dehors du camp, récoltant le blé destiné aux soldats, gardant les vaches et les porcs qui iraient remplir les ventres des S.S., et nettoyant les fosses d'égouts. Une femme, Anna Pechkoff, gardait les moutons, présentement la propriété de Bürger, mais qui, à une époque, avaient été la fierté des fermiers de Lidice. Quand les troupes nazies avaient brûlé Lidice et ses habitants en représailles de la mort de Heydrich, le Protecteur haï de toute la Bohême, Bürger avait volé les moutons et les avait fait conduire à Terezin par Anna.

Certains internés avaient la chance de travailler à l'hôpital, d'autres étaient occupés à la morgue. Une classe méprisée — les *kapos*, criminels de droit commun au service des nazis — dirigeait les équipes de travailleurs. Ils se montraient souvent plus brutaux que leurs maîtres S.S.

Mais ce que vit Antonin ce matin-là, alors qu'il marchait à côté de Vera pour se rendre au L 365, c'était des groupes de femmes à quatre pattes sur les trottoirs et les chaussées qu'emprunteraient les visiteurs de marque. Elles frottaient les voies et passaient les murs à la chaux.

Très peu de personnes âgées dans les rues. La plupart d'entre elles se terraient ou se trouvaient au Schlosjka attendant le départ du convoi.

A une époque, le bâtiment L 365 avait servi d'école pour les fils des soldats tchèques. Il s'agissait d'une grande bâtisse marron, située sur le côté ouest de la rue. Aujourd'hui, c'était le plus important, le plus dur des cantonnements affectés aux garçons.

Juste derrière la porte se tenait un jeune homme blond de seize ans, aux yeux d'un bleu acier et aux lèvres serrées.

— C'est vous, le clown ?

— Oui.

— Voici M. Karas, dit Vera. M. Capek est-il là ?

— Il est parti pour le convoi. Entrez. Nous vous attendions.

Le garçon adressa un signal à un camarade, un peu plus loin dans le couloir. Des coups de sifflet, un court et deux longs, résonnèrent dans la cage d'escalier jusqu'au grenier.

— Qui s'occupe de vous maintenant ? demanda Vera.

— Les Anciens n'ont encore nommé personne. (Les yeux du jeune homme demeuraient rivés sur la montre d'Antonin.) Je vous en donne vingt pommes de terre, proposa-t-il enfin.

— Je ne veux pas la vendre.

— Très bien, fit le gamin en haussant les épaules. Mais vingt pommes de terre, c'est mieux que rien !

Le regard du garçon rappela à Antonin celui du vieil homme de la veille. Il serra son violon contre lui.

La pièce, située au-dessous du grenier qui servait de dortoir, avait autrefois été une grande salle de classe. Elle ne contenait plus aucun meuble. Des affiches allemandes couvraient les murs et le tableau noir montrait des dessins grossiers représentant des officiers nazis urinant les uns sur les autres. Le seul autre élément de décoration était une feuille de papier où étaient inscrits les noms des participants au match de football devant avoir lieu lors de la visite.

L'entrée d'Antonin et de Vera souleva une salve d'applaudissements. Ils se retrouvaient au milieu de cent vingt garçons.

— Il faut qu'on vous présente Jiri, s'écria un gamin en tirant Antonin par la manche. Venez, il est par ici.

— Vous venez de Prague ?

— Les tramways roulent encore ?

— J'habitais dans la Maislova.

— Mon père travaillait au théâtre. Il était électricien.

— Alors, vous allez nous faire rire ?

— Vous n'avez pas l'air drôle. Où sont vos grimaces ?

— On ne vous a pas donné d'étoile ?

— C'est une cloche. Un type qu'ils ont trouvé dans la rue. Vous croyez qu'ils balanceraient de l'argent pour nous amener quelqu'un afin de nous amuser ?

Les questions cessèrent aussi brutalement qu'elles avaient fusé. La peur s'installa dans la salle.

— Ne vous inquiétez pas, dit Vera. Je vous présente Antonin Karas. C'est un clown et il est venu pour nous aider à monter le spectacle.

Antonin promena son regard sur le groupe. Visages maigres, visages torves, visages débordant de doute et d'incertitude. Quelques brutes parmi eux... Un certain nombre qu'il n'aurait pas aimé rencontrer dans la rue une fois la nuit tombée. D'autres, mis à part l'état loqueteux de leurs vêtements, ressemblaient étonnamment aux enfants qu'il avait récemment croisés dans les rues de Prague.

— Allez, Jiri, fais ton numéro.

Un petit garçon. Très brun, les yeux timidement

baissés vers le sol, une main se grattant le front,
s'approcha des visiteurs.

— Qu'est-ce que vous étiez en train de faire ?
demanda Antonin, incapable de trouver une entrée en
matière qui le satisfasse.

— On rigolait un peu.

— Allez, montre-lui, Jiri. Montre-lui ton numéro.

— Comme ça, tout de suite ?

— Tu as promis.

— Je ne me sens pas en train.

— Si tu nous laisses tomber, tu verras ton cul.

— Attrapez-moi ce petit enfoiré et tenez-le bien. On va
le faire changer d'avis.

— Du calme !

La voix de Vera pouvait être tranchante quand elle le
voulait. Le silence se fit.

— Allons, Jiri, montre-moi de quoi tu es capable,
proposa tranquillement Antonin.

— Je faisais seulement l'idiot.

— Eh bien, vas-y. J'ai envie de voir ça, dit Antonin en
s'asseyant sur le sol.

— Non, monsieur. J'aurais des ennuis.

— Ça va, assura Vera. Tu as confiance en moi,
non ?

Une lueur passa dans les yeux du garçon et il
dévisagea sondain Antonin.

— Bon, d'accord.

Une chaise passa de main en main au-dessus des
têtes.

— Alors, faites-moi un peu de place.

L'assistance recula.

Jiri grimpa sur la chaise. Il croisa les bras. Et il
s'inclina vers Antonin. Les garçons commencèrent à
glousser.

— Attendez... vous allez voir !

Jiri tira alors de sa poche un petit pinceau usé, au
manche raccourci et aux poils coupés court. Il se le

plaqua sous le nez. Puis, il sortit de sa poche une perruque grise dont il se coiffa. Hitler.

Un rugissement de rire monta de l'assistance et tous applaudirent. Jiri se dandina sur la chaise et finit par en tomber. Perruque et pinceau suivirent sa chute.

Un tel rire secouait la salle que certains des garçons se roulaient sur le plancher.

Jiri se trouvait maintenant à côté de la chaise et il fut rejoint par deux autres gamins. L'un glissa du papier sous son pull-over et se transforma en Goering. L'autre boitilla en faisant mine d'avoir un pied-bot et imita Goebbels.

Brusquement Jiri sauta sur la chaise. Le rire cessa. De l'imprévu dans son numéro.

Jiri désigna du doigt un garçon proche d'Antonin.

— Baisse la tête, Juif !

Le gosse obéit.

— Viens ici, Juif !

L'enfant s'avança d'un pas traînant, tête basse.

— Juif, tu es un chien, lança Jiri quand le garçon arriva auprès de la chaise.

Pendant une fraction de seconde, Antonin fut inquiet. Mais l'assistance éclata de rire et applaudit à tout rompre.

— A quatre pattes, Juif !

Le garçon obtempéra avec maladresse.

— Maintenant, cours autour de la chaise, Juif ! Allez, chien, cours !

Le gamin se mit à courir autour de la chaise, aux pieds d'Hitler. Quand il eut accompli trois tours et que les spectateurs cessèrent de rire, Jiri hurla :

— Ici, Juif ! Lèche le plancher. Je te dis de lécher le plancher.

Une fois de plus, les garçons éclatèrent de joie. Antonin ne comprenait pas. Il souriait poliment, s'efforçait d'avoir l'air à son aise, mais ses paumes étaient humides de sueur.

— Voici le genre de farces grossières qui nous empêchent de tous devenir fous, expliqua Vera.

— C'est insensé. Insensé...

— C'est pourquoi nous avons besoin de vous.

Antonin se leva. Il considéra Vera avec attention. Les yeux de la jeune fille le suppliaient de comprendre.

Un long coup de sifflet venant de l'étage inférieur arrêta soudain les rires. En quelques secondes, les enfants se mirent en rangs et observèrent le silence tandis qu'un jeune homme venait remplacer Jiri sur la chaise.

— Je propose que Murac tienne la place d'avant-centre, lança-t-il. Si quelqu'un est contre, qu'il lève la main.

Personne ne leva la main.

— Peut-être que Murac est trop malade. Si on le remplaçait par Jaro ? proposa quelqu'un.

— Il est parti. Il a été désigné pour le convoi de ce matin.

— Eh bien, on se contentera de Murac, déclara Jiri.

Deux S.S. et un kapo se tenaient près de la porte. Aucun des enfants ne se retourna. Tous savaient. Antonin eût souhaité ne pas avoir regardé vers le seuil. Il se faisait l'effet d'un traître.

Les hommes redescendirent l'escalier et bientôt monta le coup de sifflet signalant que tout danger était écarté.

Antonin jaillit, se déployant comme une glène de filin. Il pointa un index crochu en direction de l'endroit où les S.S. s'étaient tenus. Les gosses éclatèrent de rire.

— Et ça aussi, ajouta-t-il en serrant le poing pour s'en frapper le biceps tandis que son avant-bras se relevait en un geste éloquent et grossier.

De la main, il leur imposa silence. Tous les regards demeuraient braqués sur lui. Son corps s'affaissa. Ses bras pendaient, inertes. Soudain, il revint à la vie sous les traits de Hitler. Mais il s'agissait d'un Hitler qui, à son lever, avait perdu sa moustache ; de ce fait, il hurlait ses ordres avec un zézaiement.

Antonin passa pas mal de temps à quatre pattes, à la recherche de sa moustache et, quand il la trouva, il la plaqua à sa lèvre supérieure. Evidemment, il n'y avait pas de moustache, mais on se rendait compte qu'elle était posée à l'envers parce qu'il éternuait continuellement et essayait de l'arracher pour la remettre dans le bon sens. Il termina brusquement par le salut nazi. Un silence tomba lentement sur l'assistance. Les gamins étaient désorientés. Mais Antonin savait ce qu'il faisait. Soudain, il dit :

— Voilà jusqu'où un chien juif peut sauter... par-dessus le bras d'un nazi !

Les garçons se ruèrent vers lui, l'entourèrent, et il lui fallut un certain temps pour rejoindre Vera près de la porte. Elle riait aux larmes.

— Comprenez-vous maintenant ? demanda-t-elle.

— Je crois que oui.

La veille, il n'éprouvait que de la colère. Aujourd'hui, il ressentait une certaine joie.

— Tout au moins, je le crois, dit-il.

20

Tandis qu'Antonin faisait son numéro et que l'on préparait le train pour l'embarquement, un groupe d'adolescentes avait été recruté par une femme sergent S.S. afin de franchir le portail de Terezin et d'aller ramasser des oignons pour le dîner des soldats.

L'une d'elles, Jana, celle qui avait écrit le poème, avait spécialement préparé sa culotte pour qu'elle pût la remplir d'oignons quand la femme S.S., toujours munie d'un fouet et suivie d'un berger allemand, ne regarderait pas dans sa direction. Les oignons représentaient une des denrées les plus précieuses à Terezin. Ils étaient nourrissants.

Pendant deux heures, les jeunes filles travaillèrent à remplir des sacs. A aucun moment, on ne les autorisa à s'interrompre.

— Il faut que je pisse, sinon je vais éclater, dit Jana à une amie.

— Demande à Peau de Vache. Mais ça m'étonnerait qu'elle te donne la permission.

Jana demanda. Et Peau de Vache refusa.

— Je ne peux plus tenir, confia Jana à son amie.

Elle urina debout. Ce qui mouilla les oignons.

Elle éclata en sanglots.

— Pourquoi pleures-tu ? lui demanda son amie.

— Il faudra que je jette les oignons.

— Tu es folle ! Ce serait du gaspillage.

Au même moment, quatre personnes, qui attendaient le départ du convoi, moururent. On déposa les corps sur un charreton pour les emmener à la morgue, à côté du portail.

On débarrassa le lieu d'exécution, situé dans la petite forteresse, des cadavres des deux hommes fusillés le matin même et on les enterra dans le fossé, de l'autre côté de la muraille. Un petit vieillard ratatiné leur fit les poches et les dépouilla de leurs vêtements. Il parvint aussi à extraire les balles encastrées dans le mur de pierre devant lequel les hommes s'étaient tenus et il empocha le plomb.

Un peu plus tard, ce jour-là, l'orchestre commença ses répétitions et le Lagerkommandant inaugura une boutique de bonbons, à l'angle de la place. Personne n'avait d'argent pour en acheter puisque les billets n'avaient pas encore été imprimés à l'intention de la banque du camp qui devait les distribuer. Tout cela était prévu pour le lendemain. D'ailleurs, les bonbons non plus n'avaient pas été livrés. Les colis de la Croix-Rouge, généralement retenus à Prague, devaient aussi arriver le lendemain. Il y aurait du chocolat suisse dans les colis.

Et, encore un peu plus tard ce jour-là, les oignons furent savourés dans une soupe clandestine par les trente-trois jeunes filles du C 93, à présent rebaptisé Promenade du Lac aux Truites.

Antonin alla se coucher heureux ce soir-là. Vera attendait beaucoup du lendemain, et ce ne fut qu'à l'instant où il allait s'endormir qu'Antonin s'aperçut qu'un gamin lui avait volé sa montre pendant qu'il faisait son numéro.

Très tard, cette nuit-là, le convoi s'ébranla, ponctuant de bouffées de fumée sa lente progression pour passer le portail ; douze wagons contenant chacun quatre-vingts êtres humains.

Jamais personne ne dérangeait le Lagerkommandant avant qu'il eût terminé son petit déjeuner. Il habitait une maison de douze pièces située dans la petite forteresse. Au XVII⁰ siècle, elle avait appartenu au général Knäbel. On prétendait que Marie-Thérèse y avait couché. Elle se dressait en retrait de la place d'armes, à l'abri d'une petite clôture de piquets blancs protégeant une pelouse et quelques pommiers. Derrière la bâtisse, le jardin entouré de hauts murs s'étendait jusqu'à l'extrémité de la muraille orientale. Là, Bürger avait fait construire une piscine pour sa fille.

Son épouse, qui souffrait de rhumatismes aigus, était repartie pour Berlin. Sa fille, qui n'avait pas encore dix-neuf ans, régentait la maison. Son père était en adoration devant elle.

La petite forteresse abritait les plus fortes têtes parmi les prisonniers. Ceux-ci vivaient dans des cases ménagées dans l'épaisseur des murailles. Une fois par jour, ils sortaient pour la promenade et ils passaient, enchaînés, devant la maison. Invariablement, la fille de Bürger les regardait défiler.

Dans l'enceinte de la petite forteresse, se trouvait aussi le principal lieu d'exécution. Il existait une sorte de petit tunnel d'environ un mètre vingt de haut, pas suffisamment large pour qu'un homme pût s'y retourner, qui passait sous la muraille, au nord de la maison.

De l'autre côté, se dressait le gibet, et il y avait aussi une curieuse fosse que les prisonniers construisaient et où venaient aboutir des tuyaux ressemblant à une installation de douches.

Pourtant, ce matin-là, Bürger n'avait pas encore pris son petit déjeuner quand son aide de camp, le Leutnant Hoffman, lui apporta le télégramme de Berlin.

Il se tint à côté de Bürger qui était assis, en bretelles, tandis que son ordonnance lui passait ses bottes. Le câble était rédigé dans les termes les plus simples :

VISITE CROIX-ROUGE REMISE JUSQU'A ARRIVEE DE HERR EICHMANN A UNE DATE QUI VOUS SERA PRECISEE. STOP. PRESIDENT CROIX-ROUGE SUSSENS REFUSE SE RENDRE A TEREZIN SANS HERR EICHMANN. STOP. GOEBBELS.

Bürger se leva brusquement et se débarrassa de son ordonnance d'un coup de pied.

— Bon sang ! Après tous ces préparatifs !

— Puis-je faire quelque chose, mon commandant ?

— Quand avez-vous décodé ce câble ?

— Il y a dix minutes, mon commandant.

— En existe-t-il une autre copie ?

— Seulement celle qui doit figurer dans les dossiers, mon commandant.

— Faites-la détruire. Et annoncez officiellement que la visite aura lieu quelques jours plus tard que prévu. Barricadez la zone où doivent se dérouler les festivités. Personne n'est autorisé à y pénétrer en dehors de nos hommes. Tout individu surpris en train de causer des détériorations dans cette enceinte sera abattu à vue.

— Bien, mon commandant.

— Combien de prisonniers dans le convoi de la nuit dernière ?

— Neuf cent soixante, mon commandant.

— Combien en reste-t-il ?

— Cinquante mille deux cent dix-sept.

— Il nous faut préparer un autre convoi avant la visite.

— Il y a un train à Dresde, mon commandant...

— Alors, donnez ordre de le faire venir immédiatement.

— Il amène encore des prisonniers.

— D'autres prisonniers ? D'où ? Pour quoi diable nous prend-on... pour un camp de repos ?

— Il vient de Pologne.

— Un camp de repos pour tous les Juifs d'Europe. De tous les satanés pays d'Europe. Ils sont tous là. Même un prêtre catholique. Vous vous rendez compte ? Un Juif devenu prêtre catholique. Ma mère doit se retourner dans sa tombe.

— Ce sont des *enfants* polonais, mon commandant. Les ordres précisent que nous devons les isoler dès leur arrivée.

23

Une lune basse, pâle, flottait au-dessus de Terezin. Et dans le silence de la nuit, montait le lent halètement d'un train.

Et puis, la sonnerie d'alarme. On était habitué à entendre la sonnerie d'alarme à toute heure du jour et de la nuit. Elle retentissait à l'arrivée d'un convoi, lorsqu'une exécution avait lieu ou quand quelque nouvelle restriction était imposée.

Mais pratiquement personne ne pouvait l'entendre sans que son estomac se révulsât.

Dans le quartier des garçons, au L 365, Jiri se redressa et se heurta la tête à la couchette supérieure. La plupart de ses camarades enfilaient déjà leurs chaussures.

— Je me demande quelle heure il est, remarqua un gamin d'une voix endormie.

— Trois heures environ d'après la lune, dit Jan.

— Comment diable peux-tu le savoir puisque tu n'as pas de montre ? commenta Bedrich.

Le jeune Karel glissa la main dans une fente pratiquée dans la toile de sa paillasse et en tira la montre d'Antonin. Puis il la reposa dans sa cachette. Elle indiquait 2 h 43. Il était bien jeune pour résister à l'envie de le leur dire. Néanmoins, il tint bon. Il fallait beaucoup de volonté pour garder bouche cousue.

Au M 32, Vera fit habiller ses filles, puis elle les obligea à se recoucher pour essayer de dormir.

— Rien de grave, certainement. En tout cas, ça ne vaut pas la peine qu'on s'en inquiète. Nous n'y pouvons rien.

Dans l'obscurité grise du grenier, elle voyait briller les yeux des filles. Elles ne dormiraient pas. Elles ne cesseraient pas de s'inquiéter. Mais elles resteraient tranquilles et ne céderaient pas à la panique.

Antonin entendit lui aussi la sonnerie d'alarme. Mais il n'avait pas la moindre idée de ce qu'elle signifiait. De ce fait, il se retourna, pesta contre le gamin qui lui avait volé sa montre, et se rendormit.

Quelques minutes s'écoulèrent et vint l'annonce. Des haut-parleurs étaient apposés à chacun des angles des bâtiments. Personne ne pouvait l'ignorer.

— *Achtung ! Achtung !* Personne ne doit sortir dans la rue ! Il est interdit de regarder par la fenêtre. Tout individu enfreignant ces ordres sera abattu. A la deuxième sonnerie, ce règlement entrera en vigueur. Elle retentira dans une minute.

Mon Dieu, pensa Vera. Est-ce qu'ils ne commettront jamais l'erreur la plus infime, ne serait-ce que d'une seconde...

Elle compta les secondes.

Ils ne commirent pas d'erreur.

Sinon que personne n'observa les ordres. A chaque fenêtre fermée par un volet ou recouverte d'un rideau noir, il y avait un visage. Un visage délégué. Les yeux du camp.

Ils les virent tout d'abord du côté sud-ouest de Terezin parce que c'était par là qu'entrait le train. Vers la partie est de la Rue « A », où les rails commençaient. La voie de garage s'étendait sur toute la longueur d'un bâtiment. En face, se dressait le Schlojska.

Le train passa le portail en marche arrière. A la fenêtre du deuxième étage du A 2, Robicek, un homme corpulent d'âge mûr qui travaillait au magasin d'alimentation, raconta ce qu'il voyait.

— Cinq wagons, chuchota-t-il à ses camarades. Deux d'entre eux sont ouverts.

— Qu'est-ce qu'il y a dedans ?

— Attendez, je ne vois pas encore. La lune devrait sortir de derrière un nuage dans une minute.

— Est-ce que c'est des vivres ?

— C'est possible. En tout cas, rien ne bouge à l'intérieur des wagons ouverts.

— Peut-être que si on se précipitait tous à l'extérieur, on pourrait...

Robicek laissa son regard errer le long de la rue. Des gardes S.S. en bloquaient les deux extrémités, et au moins cinquante d'entre eux, mitraillettes sous le bras, arpentaient la chaussée.

— ... si on se précipitait tous à l'extérieur... (Robicek savait ménager ses effets et se plaisait à dramatiser)... si on précipitait tous à l'extérieur, on serait tous tués. La rue est bourrée de nazis.

Un silence tomba.

— Accouche ! Qu'est-ce qui se passe ?

— Attendez.

Robicek se retourna, laissant vivement retomber le rideau noir. Il garda le silence pendant quelques secondes. Les yeux de quatre-vingts hommes étaient rivés sur lui.

— Grand Dieu, ce sont des enfants ! dit-il. Et certains n'ont même pas de vêtements !

Dans la rue, les gardes avaient fait coulisser les portes des wagons à bestiaux. Une planche, striée d'échelons rudimentaires, fut placée devant chacune des ouvertures. Ces grossières échelles étaient déjà usées par le passage des milliers de personnes parties dans les convois.

Devant un wagon fermé, un officier appela un soldat muni d'un levier. L'homme l'inséra sous le sceau. Il marqua un temps d'arrêt pour permettre à l'officier de relever le numéro porté sur le sceau, puis il le brisa. Les grandes portes coulissèrent.

Jusque-là, personne n'était encore descendu. L'officier

monta à l'intérieur du premier wagon. Il leva une lampe. La lumière révéla les yeux creux d'une vingtaine d'enfants. Ils étaient assis bien éveillés, mais totalement immobiles. Certains étaient vêtus d'une sorte de pyjama lâche, d'autres portaient vestes et pantalons appartenant à leurs pères, d'autres encore de vieux uniformes de l'armée polonaise. Mais ils ne bougeaient pas.

L'officier s'apprêta à crier : « Debout ! » C'était l'ordre habituel. Mais il en fut incapable.

— Où sommes-nous, monsieur ?

L'officier baissa les yeux. Un petit garçon en pyjama le considérait. Il amena la lanterne à sa hauteur. Le gosse ferma les yeux, voila son regard.

L'officier se redressa brusquement.

— Vous êtes à Terezin.

— Est-ce que c'est la fin, monsieur ?

— La fin ? La fin de quoi ? Vous allez demeurer ici. Comment t'appelles-tu ?

— Samuel, monsieur.

— Eh bien, Samuel, nous avons préparé un cantonnement spécial pour vous tous... et de quoi manger. Ensuite, vous pourrez dormir.

L'officier se retourna et donna ordre de faire évacuer le wagon. Un caporal et deux hommes gravirent la rampe. L'officier tendit la lanterne à l'un d'eux. Le caporal commença à lire à haute voix l'ordre écrit à la machine qu'on lui avait remis.

— Vous êtes arrivés à destination. Nous avons préparé vos logements...

En descendant du wagon, une sorte de sourire tira les traits de l'officier. C'était aussi monotone et dénué de sens que la déposition d'un policier en cour de justice.

— ... vous ne parlerez pas aux autres prisonniers. Vous serez battus si vous adressez la parole à quiconque en dehors de votre cantonnement. Cela est strictement interdit.

L'officier était déjà trop loin pour entendre la suite.

Il observa les enfants qui descendaient des autres wagons. Certains d'entre eux étaient trop faibles pour marcher et leurs camarades les portaient sur le dos ; d'autres étaient soutenus par les soldats eux-mêmes. Quelques-uns refusaient toute assistance et descendaient par leurs propres moyens. D'autres encore ne bougeaient pas ; leurs corps furent traînés dans un coin du wagon afin de laisser le chemin libre à leurs camarades.

De petits charretons, utilisés pour transporter les biens des prisonniers jusqu'aux convois, approchaient sur un ordre de l'officier.

On y plaça les plus malades.

Lorsque tous se retrouvèrent sur la chaussée, à côté du train, alignés, prêts à se mettre en marche, leurs têtes rasées, sous la lueur des lanternes, avaient l'air de taupinières brunes dans un champ gris.

Soixante-dix seulement avaient survécu au voyage qui les amenait de Dresde. Une vingtaine de ces rescapés allaient probablement mourir. Les autres paraissaient étonnamment vivants, mais affaiblis par le manque de nourriture.

Quand ils commencèrent à s'éloigner, traversant les rails derrière le train pour descendre la colline en direction de la clôture de fils de fer barbelés érigée autour de l'ancien baraquement de récréation des soldats, Robicek, l'homme à la fenêtre du A 2, dit :

— Grand Dieu, ils sont dans un état épouvantable !

Derrière lui, il entendit quelqu'un crier :

— Qui sont-ils ? D'où viennent-ils ?

— Dieu seul le sait, répliqua Robicek. Ce ne sont pas des Tchèques.

— Qu'est-ce qui te fait croire ça ?

— Je ne sais pas. Mais j'en suis sûr.

— Laisse-moi regarder.

— Ne fais pas l'idiot, dit Robicek. Tu n'en verras pas plus que moi.

Il repoussa l'homme sur son lit.

— Ce sont peut-être des Russes.

— Peut-être. Peut-être bien, convint Robicek en se recouvrant de sa vieille couverture. Tout ce que je sais, c'est qu'on croit en voir de dures ici, mais ces gosses ont connu l'enfer. *L'enfer !*

Robicek eut soudain conscience de ce qui le troublait. A part la voix des soldats, aucun autre bruit n'était monté de la rue. Pas un seul des enfants n'avait prononcé un mot.

Un peu plus bas, le long de la voie, au milieu de la rue « A », l'officier se fit la même réflexion en observant la colonne qui s'étirait lentement vers le casernement.

Il se tenait jambes écartées, badine dans le dos. Il s'en frappa la cuisse. Il y a quelque chose qui ne va pas, pensa-t-il. Il existe une limite à ce qu'on peut supporter. Tout à coup, on se heurte à une réalité qui crève la toile d'araignée de mensonges et de mise en condition. Comme un rasoir. Il se détourna et, à grands pas, gagna sa chambre au quartier général.

La première neige de la saison tomba cette nuit-là. Et, une demi-heure après que le train se fut éloigné, une chape blanche recouvrait la voie.

24

Le baraquement affecté aux enfants polonais était totalement isolé du reste du camp. En fait, il ne pouvait être vu que par ceux qui passaient à proximité du terrain de football ou de la morgue.

Il n'était pas chauffé, évidemment, mais il faisait meilleur à l'intérieur que dans l'atmosphère glacée de décembre. Et maintenant, des soldats clouaient des planches contre les fenêtres, les recouvrant complètement. Cela contribuerait à retenir la chaleur. Un fût de pétrole, à demi rempli de soupe, et une louche en bois grossièrement taillée attendaient à l'une des extrémités du local. La plupart des enfants étaient trop faibles ou trop fatigués pour boire. Ils se couchaient, à même le sol, se blottissant les uns contre les autres à la recherche d'un peu de chaleur.

Au fond du baraquement il y avait une deuxième porte, fermée à clef. Tout ce qui composait le mobilier avait été enlevé, table de ping-pong, bar, tabourets, photos de filles. Mais il restait une odeur fade de bière répandue.

Dès que le dernier enfant eut été parqué dans la salle, la porte fut verrouillée de l'extérieur et gardée par un soldat armé d'une mitraillette.

Le Lagerkommandant en personne avait donné cet ordre.

On attacha des chiens aux angles de la clôture de fils de fer barbelés qui entourait le baraquement. On ne tolérerait aucun contact avec les autres internés de Terezin. Toute personne approchant des fils de fer barbelés ou essayant de communiquer avec les enfants devait être abattue.

Personne ne savait pourquoi il en était ainsi. En ce moment, pas même Bürger.

La lune avait disparu. Un rideau de flocons de neige la recouvrait. Tout était silencieux dans le baraquement, figé. Mais en regardant attentivement, on pouvait distinguer dans le noir les têtes rasées. Surtout si l'on était habitué à vivre dans la pénombre depuis des mois. Alors, l'obscurité devenait lumière.

Il faisait plus chaud dans le baraquement à présent. Et le linoléum du sol, bien qu'il portât les traces des bottes des soldats, représentait un luxe. Quelques garçons — ou peut-être s'agissait-il de filles ; il était difficile de s'en rendre compte puisque tous avaient le crâne rasé — rampèrent vers le bidon de soupe. Ils burent vite, avidement. La moelle de leurs os commençait à se dégeler.

Près de la porte, l'un des enfants qui avait bu la soupe dès qu'il l'avait aperçue, était en train de vomir. Trop. Trop vite. Mais personne ne les avait prévenus.

Au lieu de quoi, quelqu'un commença à chanter.

Béni, béni, béni,
Soit le Seigneur des légions célestes.
Le ciel et la terre sont remplis
De Sa gloire.
Hosanna au plus haut des cieux.
Hosanna au plus haut des cieux !

C'était Samuel et il ne chantait pas pour remercier Dieu d'être encore vivant. Il était un enfant infiniment plus complexe. Il chantait parce qu'il était d'humeur à chanter.

Quand il eut achevé, il mangea un peu de soupe tiède.

25

— J'exige de rentrer à Prague immédiatement !

Antonin appuya ses revendications en frappant violemment du poing gauche contre sa paume droite.

L'expression du Lagerkommandant ne varia pas. Simplement, ses yeux bleus en amande se voilaient parfois d'un léger battement de cils.

— Mes papiers, je vous prie. Immédiatement. Mes papiers ! hurla Antonin.

Le Lagerkommandant toussota, mais ses yeux ne se détournèrent pas de son interlocuteur. Il y avait des témoins. Vera Lydrakova, en premier lieu. Et le sergent chargé d'assurer la garde d'Antonin.

— La visite de la Croix-Rouge est remise. Il est donc inutile que je reste ici.

— Si vous continuez à crier comme un fou, je me verrai dans l'obligation de vous traiter comme tel.

Un silence tomba. Antonin s'était efforcé de se maîtriser mais, quand les haut-parleurs avaient annoncé l'ajournement de la visite, il avait forcé le bureau du Lagerkommandant, chargé de son violon et de son coffret à maquillage. Ces objets se trouvaient sur une chaise à côté de lui, avec son chapeau par-dessus.

Le Lagerkommandant l'aurait fait jeter dehors depuis une dizaine de minutes, soit exactement une minute après son intrusion, s'il n'avait été inquiet. Berlin aussi s'inquiétait. Certaines rumeurs circulaient au sujet des camps de Pologne orientale. Elles donnaient du Troisième Reich une image assez déplaisante à l'étranger, et pis encore, elles se répandaient à l'intérieur du pays où le moral flanchait. Il fallait absolument faire quelque chose pour effacer cette image. Mieux encore. Il fallait l'ensevelir à jamais sous un lit de béton.

Terezin, l'Etat juif modèle, l'exemple type de l'intérêt que le Führer portait aux Juifs, avait été choisi pour être ce lit de béton sur lequel l'opinion mondiale s'étayerait et changerait de façon favorable, un peu comme une violette sauvage sort des fentes du ciment.

Terezin. On s'y intéressait trop. Bürger n'avait jamais rencontré Goebbels, ni Eichmann d'ailleurs. Il avait évidemment été présenté à Himmler. Mais les autres hommes évoluaient dans des sphères différentes, des sphères dont il avait peur.

Terezin lui répugnait, tout comme lui répugnait sa femme toujours malade. Il lui était pénible d'être là. Et maintenant, c'était devenu dangereux.

C'est pourquoi il avait fait appeler Vera Lydrakova ; il voulait qu'elle assistât à son entretien avec l'irascible Antonin. Il lui fallait des témoins. Après tout, Berlin jouait un jeu. En fin de compte, l'inspection de la Croix-Rouge serait manifestement une véritable visite surprise et cet idiot de comédien était un emmerdeur.

— Alors, quand la visite doit-elle avoir lieu... ?

Antonin continuait sans désemparer à le harceler de questions et d'accusations.

— Cela ne vous regarde pas.

— Mais j'ai le droit...

— Vous n'avez aucun droit. Aucun. Sauf ceux qu'il me plaît de vous accorder.

— Je veillerai à ce que vous soyez...

Le Lagerkommandant se leva d'un bond.

— Oh, la ferme !

Le cri arrêta net l'élan d'Antonin. Il considéra Vera. Elle avait les yeux baissés. Etait-il possible qu'elle ne

108

l'approuvât pas ? Souhaitait-elle le voir abandonner son travail à l'extérieur et rester au camp pour participer au spectacle ? C'était trop lui demander. Bien sûr, il avait accepté de se produire. Il s'était rendu compte qu'on avait besoin de lui ici. Mais c'était avant l'annulation de la visite de la Croix-Rouge (car il s'agissait certainement d'une annulation). Et par ailleurs, il y avait ce refus de lui rendre ses papiers. Et l'attitude de cet officier. Après tout, Antonin n'était pas le premier venu. Il avait un nom dans le monde du spectacle. Et ils devraient établir une certaine différence.

— Je suis désolé. Mais vous me comprenez ? J'ai des engagements, dit-il en regardant Vera.

— Des engagements, grogna le Lagerkommandant en s'éloignant de la fenêtre. Des engagements ! Vous n'avez aucun engagement pour l'année qui vient. Vous êtes fini, lessivé. Tout ça est dans votre dossier. Vous êtes tellement mauvais que même les tournées de province ne veulent plus entendre parler de vous. (Il se pencha sur son bureau, sortit une chemise d'un tiroir.) Vous voulez lire les détails ? Tout est consigné là, tout.

Bürger soutint le regard d'Antonin jusqu'à ce que celui-ci se détournât, allât se poser sur son chapeau. Antonin n'osa pas regarder Vera.

Habituellement, Bürger éprouvait une sensation de lassitude après un paroxysme d'émotion qu'il jugeait déplacé. Mais ce jour-là, la discussion le revigora.

La vérité sur soi, qui éclate en présence d'un tiers sur lequel on a tenté de faire impression, désarme invariablement. Antonin était désarmé.

Vera vint à son secours.

— Je ne crois pas un mot de tout ça. Ce dossier ne contient probablement que des mensonges. Et tout le monde à Terezin a entendu parler de M. Karas et de sa carrière.

— Comme vous voudrez, dit le Lagerkommandant en haussant les épaules.

Un ton de prière se glissa dans la voix d'Antonin.

— Je vous en prie, monsieur, rendez-moi mes papiers et laissez-moi partir. Je suis prêt à signer un document stipulant que je ne révélerai rien de ce que j'ai vu et... Mes papiers...

Le Lagerkommandant adressa un signe aux sentinelles.

— Emmenez-le !

Antonin sentit l'étreinte de poignes sous ses aisselles.

— Mais vous m'avez donné votre parole d'officier allemand...

— Et après ? Emmenez-le ! Vous pouvez disposer, sergent. Faites-le enfermer.

Le chapeau d'Antonin roula sur le sol. Vera le ramassa et saisit la poignée de la boîte à violon.

— Vous m'avez donné votre parole ! cria encore Antonin en se retournant sur le seuil alors que les deux sentinelles l'entraînaient.

— A vous ? Un Juif ? (Le Lagerkommandant s'assit et s'absorba dans la contemplation des papiers étalés sur son bureau.) Fräulein Lydrakova, vous pouvez disposer. A moins que vous ne souhaitiez prendre un verre de xérès.

— Du xérès ? Oui. J'en prendrai volontiers un verre, Herr Kommandant.

Il pivota dans son fauteuil et ouvrit une cave à liqueurs placée derrière lui. Il sourit en versant le vin.

Vera ne le quittait pas des yeux. Elle s'assit sans détourner le regard.

— *Prosit !*

— *Na zdravi !*

Elle but une gorgée, puis vida le verre d'un trait. A travers le cristal, elle distinguait le sourire béat de l'officier. C'était un peu comme regarder un poisson dans un bocal, rendu flou par la distorsion.

Elle se leva. Elle saisit le verre, le jeta contre le mur et, avant que le sourire eût disparu des lèvres du

110

Lagerkommandant, elle quitta la pièce et claqua la porte derrière elle.

Le xérès lui communiquait une sensation d'euphorie et d'ailleurs, il n'était pas dans son caractère de gaspiller quoi que ce soit.

26

Environ une heure plus tard, ce matin-là, le Dr. Ernst Hertzog, président du Conseil des Anciens de l'Etat juif de Terezin, vint rendre visite au Lagerkommandant.

Le Dr. Hertzog était petit, trapu, et avait dépassé soixante-dix ans. Son rôle ne lui plaisait pas, mais il ne lui aurait pas plu non plus de le voir rempli par un autre. Il avait toute confiance en sa propre sagesse, et cette confiance était confirmée par des actes relativement bien accueillis par ceux qu'il était chargé d'administrer.

Il avait été professeur dans une école d'ingénieurs à Berne et, pour lui, la vie était une roue bien équilibrée.

Quand Hertzog venait trouver Bürger, on pouvait estimer que des ennuis se préparaient. L'officier l'accueillit par une question directe.

— Qu'est-ce qu'il y a encore ? Etes-vous incapable de faire quoi que ce soit par vous-même ? Pourquoi venez-vous toujours me faire part de vos problèmes ?

— Je venais vous demander conseil, Herr Kommandant.

— A quel sujet ?

L'heure du déjeuner approchait.

— Au sujet des enfants qui sont arrivés la nuit dernière, Herr Kommandant.

— Les enfants ? Vous avez été en contact avec eux ?

— Non. Mais, évidemment, nous avons appris leur arrivée.

— Personne ne doit avoir de rapport avec ces enfants.

— Nous avons rassemblé un peu de nourriture et quelques vêtements... Une collecte spontanée... à leur intention. J'aimerais qu'on la leur fasse parvenir.

— Ce sera fait.

— Par ailleurs, l'un de nos médecins, le Dr. Eric Weinberg, lui-même citoyen allemand, a demandé l'autorisation de soigner les enfants.

— Weinberg n'est pas allemand. Il est juif. Et je peux vous assurer que les enfants ne manqueront pas de soins médicaux. Autre chose ?

Hertzog se frottait les mains comme s'il les lavait. Manifestement, il y avait autre chose.

— Nous souhaiterions, respectueusement, savoir pourquoi ils sont isolés.

Un silence tomba.

— Je ne sais pas. Ordre de Berlin. Probablement pour éviter une épidémie de typhoïde ou quelque chose de ce genre.

Bürger disait vrai. Il n'en savait rien.

— Vous prendrez une décision au sujet du Dr. Weinberg et peut-être au sujet d'une infirmière ?

— Je verrai. Vous pouvez disposer.

Après le départ du Dr. Hertzog, Bürger alluma un cigare. Les choses commençaient à se clarifier dans son esprit. Soudain, il ne comprit plus pourquoi il s'était laissé gagner par l'inquiétude.

Quelqu'un devait s'occuper des enfants, ne serait-ce que pour les nourrir. Et pour emporter leurs cadavres. Une fois à l'intérieur du baraquement, celui qui serait désigné ne le quitterait jamais vivant. Ainsi, il n'y aurait pas de témoignage.

Bürger tira sur son cigare. Il se demanda ce que Hilda, sa fille, avait prévu pour le déjeuner. Elle était devenue bien jolie. L'été ils se baignaient nus, ensemble, dans la piscine. Elle ressemblait à sa mère, sans tous les défauts de celle-ci.

Soudain, il appuya sur le timbre de son bureau. Sa secrétaire entra, suivie de l'aide de camp.

— Prenez note de l'ordre suivant. Le Dr. Weinberg sera dorénavant affecté au quartier des enfants polonais. Il ne devra jamais quitter le bâtiment. Il sera accompagné par le clown, Herr Karas.

Il marqua une pause. Il faisait d'une pierre deux coups. Karas n'était pas officiellement prisonnier. S'il retournait à Prague, par quelque malheureux hasard, il constituerait une dangereuse menace. De cette façon, il n'y retournerait jamais.

— Et, en plus du clown, pour s'occuper des enfants du sexe féminin, je désigne Fräulein Vera Lydrakova.

Il sourit. Cela mettrait fin aux colères de cette garce maigrichonne. Elle avait cassé un de ses plus beaux verres en cristal de Bohême. Et il ne manquait pas de chair juive quand l'envie le prenait de s'amuser.

— La nourriture des enfants sera déposée devant la porte de leur baraquement. Karas, Lydrakova et Weinberg auront la charge d'en prendre livraison. Encore une fois : Il est entendu que personne ne devra quitter le bâtiment. (Il s'interrompit, écrasa le mégot de son cigare.) Je signerai cet ordre personnellement et je tiens à ce qu'il soit exécuté sur-le-champ.

Après le départ de l'aide de camp et de la secrétaire, Bürger ouvrit le tiroir de droite de son bureau. Il sortit les papiers d'identité appartenant à Antonin et les brûla dans le cendrier.

— Ainsi, ils n'auront jamais existé, se dit-il à lui-même.

Quand ils vinrent le chercher pour l'emmener au baraquement où étaient internés les enfants polonais, Antonin était étendu sur sa paillasse, se reprochant amèrement son numéro du matin. Il lui avait coûté ses derniers biens. Le violon et sa boîte à maquillage. Et aussi son chapeau.

Au cours de la dernière demi-heure, d'étranges bruits avaient résonné dans la pièce au-dessus de lui. Comme si quelqu'un donnait des coups de pied dans le mur, méthodiquement, un peu à la manière d'un volet agité par le vent.

Les deux S.S. qui vinrent le chercher ne lui adressèrent pas la parole. Antonin se résolut à obéir à toutes leurs injonctions.

Le soldat chargé d'aller chercher Vera la faisait descendre la rue « Q » quand Antonin tourna l'angle du bâtiment pour traverser la voie de chemin de fer encaissée au milieu de la route. Il ne reconnut pas l'homme qui la suivait, lui aussi escorté d'un garde.

Tous trois se retrouvèrent devant le baraquement. Ils n'eurent pas le temps de s'adresser la parole. La porte fut ouverte et on les poussa à l'intérieur. Antonin remarqua que Vera portait son violon et l'inconnu une petite sacoche noire. Ce fut tout. La porte claqua derrière eux.

Au quartier général S.S. où Antonin avait été enfermé, quelqu'un entra dans la chambre à l'étage au-dessus et trouva l'officier allemand qui avait surveillé le débarquement des enfants polonais. Il se balançait au bout du fil électrique. Il était mort depuis plusieurs heures et ses pieds heurtaient le mur.

28

Bien qu'il fût midi passé, la plupart des enfants dormaient encore. A la vue des trois visiteurs, ils se mirent péniblement debout.

Le Dr. Weinberg, homme d'une trentaine d'années, net, précis, au coup d'œil clinique, se présenta à Antonin et à Vera en tchèque. Il serra chaleureusement la main d'Antonin et se pencha pour déposer un baiser sur les doigts de Vera. Ces formalités accomplies, il se fraya un chemin parmi les enfants et les dénombra. Manifestement, le docteur était un organisateur-né.

Certains des enfants étaient incapables de se tenir debout. Ils restaient assis, le regard perdu. Antonin se tourna vers Vera.

— Vous m'en voulez ?

Elle lui jeta un bref regard, puis prit la main d'une petite fille et la caressa.

— Je suis désolé pour ce matin, dit-il. J'étais hors de moi.

— J'accepte vos excuses.

— Vous savez, j'étais réellement hors de moi.

— Votre carrière vous importe-t-elle tant alors que vous êtes confronté à... tout ça !

— Je vous en prie, ne vous mettez pas en colère.

— En colère ? Je ne suis pas en colère.

— En tout cas, vous en avez l'air.

— Je suis déçue. Je me suis trompée sur votre compte.

— Alors, il n'y a rien à dire.

Il la regarda de nouveau, mais elle parlait à un enfant.

Il se pencha en même temps qu'elle, essayant de retenir son attention.

— Je suppose qu'ils nous ont envoyés ici par mesure de représailles. Si j'en suis la cause...

— Vous n'y êtes pour rien. Maintenant, il faut se mettre au travail...

— Merci de m'avoir apporté mon violon.

Le docteur vint les rejoindre.

— Ils sont soixante-dix-huit. Ils ont tous besoin de s'alimenter et de se laver. La soupe ne devrait pas tarder à arriver. (Il consulta sa montre.) Apparemment, ils viennent de Pologne. Mais ils comprennent l'allemand.

Antonin s'éloigna de quelques pas. Polonais ? Parviendrait-il à se rappeler cette langue ? C'était celle que parlait sa mère, originaire des monts Tatra, proches de la frontière polonaise.

— Inutile de rester debout. Asseyez-vous tous. Etendez-vous si vous voulez, dit le docteur de son ton de clinicien.

Les enfants ne parurent pas comprendre.

— M'entendez-vous, tous ? lança Antonin en polonais. Asseyez-vous. Je suis un ami. Vous allez avoir à manger... bientôt. (Il avait gagné le centre du baraquement.) Vous savez ce que c'est... manger, non ? (Il marqua une pause.) Comme ça.

Il mit la main à sa poche et en tira une banane imaginaire. Il l'agita au-dessus de sa tête pour que tous la voient. Il roula des yeux et se passa la langue sur les lèvres. Puis, il éplucha le fruit, avec minutie, sur trois côtés.

Il lécha la banane. Quelques rires s'élevèrent. Et les enfants commencèrent à s'asseoir.

— Comment t'appelles-tu ?

118

Silence.

— Tu peux me le dire tout bas si tu ne veux pas que les autres entendent.

Sa réplique suscita quelques rires et le garçon parla à voix haute.

— Je m'appelle Samuel.

— Samuel comment ?

— Samuel. Je ne sais pas. J'ai oublié.

— Mais tu me comprends ?

— Oui.

Un autre rire fusa. Peut-être était-ce son accent qui les faisait rire, tout autant que sa mimique.

Antonin lécha encore la banane, puis il fit mine d'essayer de rabattre la dernière épluchure. Impossible. Il fronça les sourcils et se gratta la tête.

Il sentait tous les yeux fixés sur lui maintenant. Il n'avait jamais été aussi bien dans sa peau depuis une éternité. La puanteur qui l'entourait était insupportable, mais les visages émaciés se fendirent en sourires qui dévoilaient des gencives enflées, jaunies par la malnutrition.

Il plaça sa banane sous sa chaussure droite et tenta d'en arracher le dernier morceau de peau. Celui-ci résista. Antonin souffla, haleta, et les enfants rirent.

A un moment, il aperçut Vera. Elle le regardait de façon étrange, un léger sourire aux lèvres. Mais l'important, c'était la banane. Il lui fallait se concentrer sur son épluchage.

Brusquement, elle sauta de sous sa chaussure. Elle jaillit, heurta le plafond et lui retomba dans la main.

Certains des éclats de rire dégénéraient en toux. Le docteur l'invita d'un signe à y aller doucement.

Antonin tenait à deux mains la banane, la serrait. Il se livra à une dernière tentative pour en ôter la peau. Puis, ses épaules s'affaissèrent et il regarda le fruit, le fit tourner entre ses doigts. Enfin, il le lança à Samuel qui l'attrapa adroitement.

— Tiens, essaie donc, dit-il. Moi, je n'arrive pas à l'éplucher.

Et, à partir de ce moment, il s'adressa toujours aux enfants en polonais. Il traversa le baraquement pour rejoindre Vera. Les gosses battaient joyeusement des mains.

Le docteur était agenouillé auprès d'un petit malade.

— Vous voyez, c'est tout ce que je sais. C'est tout ce que j'ai jamais su de la vie. Et quand quelqu'un veut me dépouiller de ça, je suis pris de panique.

Vera l'écoutait à présent. Elle hocha la tête.

— Acceptez-vous mes excuses ?

— Bien sûr.

Elle sourit et il lui prit la main. Il commençait à sentir la chaleur regagner son corps.

La porte s'ouvrit, découvrant un S.S. ; sa mitraillette était pointée sur deux charrettes dont les roues de bois s'enfonçaient dans la neige. L'une était chargée de vêtements, l'autre de nourriture.

Vera et Antonin durent unir toutes leurs forces pour pousser les charrettes jusqu'à la porte et les décharger. Des pommes de terre chaudes et du pain noir. De la soupe et de l'eau. Un inconnu avait fait don des plus précieux des objets, des tasses faites dans des boîtes de lait condensé.

Les trois adultes durent nourrir les enfants par groupes de douze à cause du nombre des tasses.

— Tu ne te rappelles vraiment pas ton nom de famille ? demanda Antonin à Samuel.

Le gosse était blond, avait les yeux bleus. Il était très maigre et son regard était lumineux. Ses bras décharnés laissaient voir les os, mais Antonin devina qu'il n'avait jamais été dodu.

Finalement, Samuel répondit :

— Mon père, on l'appelait « Le Grand », je ne sais pas pourquoi. Quand ils l'ont emmené, ma sœur et moi, on est allé à l'orphelinat. Nous y avons grandi. On nous a

120

donné le nom de Jacob. Quand ils nous ont emmenés au camp juif, j'ai gardé ce nom.

Les enfants recommençaient à parler et la salle s'emplissait d'un brouhaha confus.

— Je m'appelle Antonin.

— Vous êtes clown, n'est-ce pas ?

— Oui. Et qui plus est, très célèbre, déclara Antonin avec un sérieux teinté de moquerie.

— Qu'est-ce qui va nous arriver ?

— Rien. Mange. Et ensuite, nous verrons.

Au moment où Antonin se redressait après avoir parlé à Samuel, la porte se rouvrit et Bürger entra, suivi de deux subordonnés.

Les enfants se levèrent vivement et allèrent se plaquer contre le mur du fond. De la soupe fut renversée.

— Je suis le Lagerkommandant Bürger. Je suis venu pour voir comment vous allez et c'est moi qui vous ai envoyé ces deux hommes et cette femme pour vous aider. Vous avez de la chance. Vous aurez peut-être même l'occasion de rire. Cet homme est un clown.

Antonin fit signe aux enfants de se rasseoir, mais une fois de plus, ils se muraient dans le silence.

Bürger se figea soudain et promena un regard circulaire dans la salle. Antonin sentit des effluves de cognac et d'eau de toilette. Il devait avoir fait un bon déjeuner.

— Est-ce là tout ce que vous êtes venu nous dire ? demanda Antonin.

— Comment ? Pour qui vous prenez-vous... ?

— Je vous ai simplement demandé si c'était tout ce que vous étiez venu nous dire.

— Non. En fait, ce n'est pas tout. (Il se retourna vers les enfants.) Comme vous le savez, personne n'est autorisé à sortir de ce cantonnement. (D'un geste, il désigna le périmètre délimité par les fils de fer barbelés entourant le baraquement.) Toute personne qui franchira cette clôture sera abattue. Et cela vaut également pour vous trois.

— Cela signifie-t-il que je devrai abandonner définitivement mes filles ? demanda Vera.

— Oui, ma chère. Le lien est définitivement rompu. Brisé... comme un verre à xérès. (Il rit.) C'est une plaisanterie, voyez-vous.

— Je comprends, dit Vera d'une voix coupante.

— Et je partirai après la visite de la Croix-Rouge ?

— Vous, Herr Karas, vous partirez dans quinze jours. Avec tous les enfants. Dans un convoi pour l'est.

Antonin le dévisagea. Cette fois, ce n'était plus une plaisanterie. Son esprit se vida.

— Eh bien, que dites-vous de ça ?

Antonin revint à la vie. Ses doigts retrouvèrent le sens du toucher, son cerveau s'éclaircit.

— J'irai volontiers n'importe où vous enverrez les enfants. Je refuserai de les abandonner.

Le visage de Bürger accusa le choc que venaient de lui causer ces paroles. Ce n'était pas celles qu'il attendait.

— Je ne plaisante pas, Herr Kommandant, ajouta Antonin. Je me suis trouvé un foyer. Il est ici.

Il ne voulait pas regarder vers Vera car ce n'était pas pour elle qu'il avait agi. Mais bien pour lui. Action rigoureusement égoïste. Ce serait là sa vie. Aussi longtemps qu'elle durerait.

29

— Il nous faut les laver rapidement. Ils sont dans un état épouvantable. Le voyage depuis Dresde a duré près d'une semaine, expliqua le docteur qui tenait une clef à la main. Ensuite, nous verrons combien nous pouvons en sauver... Je ne saurais dire leur nombre, ni quel sort les attend, ni même pourquoi nous essayons de les sauver.

Ils avaient posé toutes les tasses et les récipients vides dans l'angle de la salle, près de la porte. Le docteur marcha en direction de l'extrémité opposée du bâtiment. A son passage, les enfants alignés se levaient.

Il glissa la clef dans la serrure de la porte du fond, la fit tourner.

— Les filles d'abord. Que toutes les filles s'avancent.

Il y eut un remous de corps qui se déplaçaient. Vera alla rejoindre le docteur, les bras chargés de vêtements propres. Elle les posa sur le linoléum, à côté de la porte. Une vingtaine de fillettes s'étaient levées.

— Bon, dit le docteur. Quand la porte sera ouverte, vous entrerez l'une derrière l'autre et vous vous laverez. Mademoiselle Lydrakova vous accompagnera.

Il tira le battant à lui et les filles commencèrent à entrer. A peine la dernière avait-elle franchi le seuil qu'un cri fusa. Puis, un hurlement. Et des cris, encore des cris. Antonin traversa vivement le baraquement.

Vera se précipita à l'intérieur de la salle d'eau. Les filles s'agglutinaient, tapies dans un coin. Elles désignaient le plafond équipé de plusieurs pommes de douche.

— Gaz !

— Gaz ! Gaz ! Gaz ! hurlaient-elles.

Elles se mirent à courir hors de la pièce comme poursuivies.

Au mot de « gaz», les garçons se ruèrent à l'opposé, vers la porte verrouillée. Ils grimpèrent aux fenêtres, en martelèrent les planches.

— Que veulent-ils dire par « gaz » ? cria Vera à l'oreille d'Antonin.

— Ce n'est rien... Il faut vous laver... vous laver, expliqua Antonin qui se frottait les mains, faisant mine de se savonner.

Les filles, dont la plupart étaient nues, continuaient à hurler, à crier :

— Gaz !

Le docteur courait vers les enfants, essayait de les arracher des fenêtres. Vera tenait contre elle une gamine de sept ans.

Antonin hésitait, ne sachant que faire quand il aperçut Samuel.

Samuel ne se laissait pas gagner par la panique. Tout au moins, il n'en laissait rien paraître. Antonin s'approcha de lui et le prit par la main.

A la porte de la salle d'eau, il le lâcha et lui fit signe de ne pas bouger. Il se retourna et émit un son de trompette à travers ses poings fermés.

Lentement, la panique s'apaisa. De temps à autre, un sanglot crevait l'atmosphère tendue.

— Ecoutez, mes enfants. Il s'agit simplement de se laver. Vous allez voir.

Il cala la porte avec quelques-uns des haillons que les fillettes avaient ôtés et se plaça sous une douche.

— Non ! Non ! Non ! hurlèrent encore les enfants.

Mais Samuel ne bougea pas d'un pouce. Antonin lui

adressa un clin d'œil. Un morceau de savon était à terre, non loin du pied du gamin.

— Lance-moi le savon, Samuel, dit-il dans son meilleur polonais.

Samuel se pencha et le lui jeta. En le saisissant, Antonin tourna le robinet de la douche. Il était entièrement vêtu et l'eau coulait, glacée.

Les enfants eurent à peine le temps de se rendre compte de ce qui se produisait.

— Viens, Samuel, appela Antonin.

Sans hésitation, Samuel alla le rejoindre sous la douche. Antonin se mit à jouer. Les visages agglomérés près de la porte se détendaient. Il passa le savon à Samuel et fit mine d'en avoir un grand pain. Evidemment, il le laissa tomber, et le ramassa, et le jeta, et glissa dessus, et bientôt la salle d'eau fut pleine d'enfants qui l'imitaient et riaient.

Il estima alors qu'il avait tenu sa part et se fraya un passage jusqu'à Vera qui se tenait à côté de la porte.

— Il s'en est fallu de peu, lui cria-t-elle. J'ai vu le moment où ils allaient se battre à mort.

— C'est bien ce qu'ils croyaient tous, intervint le docteur.

— Que voulez-vous dire ? demanda Antonin.

— Ils viennent de Pologne. Ils ont entendu certaines rumeurs... Ils ont peut-être fait plus qu'entendre les rumeurs... Peut-être ont-ils vu.

— Quoi ? Du gaz dans les douches ?

— C'est ce qu'on prétend. Mais ce n'est qu'un bruit.

— Grand Dieu ! s'exclama Vera en éclatant en sanglots.

Le vacarme dans la salle d'eau était assourdissant. Antonin prit Vera par le bras et l'entraîna vers l'autre extrémité de la baraque. Les enfants couraient, échappant un instant à l'eau glacée, puis revenant se placer sous les pommes de douche. Le docteur les grondait, leur ordonnait de s'habiller avec leurs nouveaux vêtements, mais ils ne lui prêtaient pas attention.

Vera avait cessé de pleurer. Elle ravalait ses larmes, les étouffait en elle.

— Vous êtes trempé. Il faudrait que vous passiez des vêtements secs, dit-elle.

— J'espère trouver quelque chose qui m'ira.

— Il y en a pour tout le monde, monsieur Karas, assura Vera en fouillant dans le tas de vêtements.

— Je vous en prie, appelez-moi Toni... et je vous appellerai Vera, proposa-t-il, très vite.

Elle penchait la tête, toute à ses recherches.

— D'accord, acquiesça-t-elle du ton désinvolte de la personne affairée.

Enfin, Vera trouva une chemise. Antonin ôta la sienne, enfila celle qui était sèche, puis il remit son veston humide.

— Ça séchera plus vite comme ça, dit-il.

— Je crains qu'il n'y ait pas de pantalon assez grand.

— Tant pis...

— Attendez. Essayez celui-ci, invita-t-elle en lui tendant un pantalon. Vous savez, votre aide nous sera précieuse. Il est très important de rire.

— Ça, c'est mon rayon.

— Non, il est trop petit. Il faudra faire sécher le vôtre.

— Vera...

— Oui ?

— Je suis heureux. Et il y a longtemps que ça ne m'est pas arrivé.

— Autant être heureux. La colère ne sert à rien.

— Je le sais maintenant.

Antonin enleva son pantalon et le tordit. Le docteur se précipita vers eux.

— Pour l'amour de Dieu, donnez-moi un coup de main. Il y a un chahut monstre là-dedans. On se croirait vraiment à l'heure de la récréation. Je n'arrive pas à les faire sortir et l'eau est glacée.

Vera et Antonin le suivirent vers les douches.

30

— Je ne sais pas comment vous vous sentez tous les deux, mais moi, je suis affamé, dit Antonin.

C'était le soir. Et à l'intérieur du baraquement, les couvertures procurées par le Conseil des Anciens de l'Etat juif de Terezin recouvraient les enfants qui, tous, sans exception, semblaient dormir profondément.

Le docteur ne redoutait pas trop de nouvelles complications. Sept enfants étaient morts au cours de la journée. Il espérait qu'avec de la nourriture et des prières, les autres pourraient survivre.

Vera était absolument exténuée. Tout son corps lui faisait mal, douleur presque agréable. Idées et impressions se mêlaient en elle ; elles y demeureraient gravées jusqu'à la fin. La fin ? Bürger s'était vanté en parlant d'un délai de deux semaines. Ce n'était qu'une menace, elle le savait. Tout pouvait arriver. Surtout avec la venue de la Croix-Rouge. La guerre pouvait même se terminer. Ce soir-là, elle ne s'inquiétait pas réellement de ce qu'il risquait d'advenir bien qu'elle eût aimé procurer quelque nourriture à Antonin.

De minces rayons de lune filtraient à travers les planches qu'on avait clouées sur les fenêtres. Doigts bleus caressant le visage des enfants. Une sorte de bénédiction.

Le père de Vera était juif, mais sa mère était catholique. Elle n'avait jamais pénétré à l'intérieur d'une synagogue, bien qu'officiellement, elle eût été enregistrée comme juive. De temps à autre, petite fille, on l'avait amenée à l'église, à Notre-Dame de Lorette proche du château de Prague. Là, entourée de statues baroques et de hautes fenêtres dorées, elle avait baigné ses sens dans ce qu'elle pensait être l'esprit de la religion. L'encens provenant de l'autel blanc et or, l'odeur des cierges et le remugle des bancs grossiers lui étaient encore présents. Le latin, que le prêtre marmonnait rapidement, et le sermon, sur lequel il trébuchait, ne signifiaient rien. Mais l'odeur des vêtements humides imprégnés de neige, le raclement des grosses chaussures sur les dalles et le toussotement presque incessant des fidèles trouvaient encore un écho en elle.

C'est là qu'elle avait vu sa mère pour la dernière fois. Ils l'avaient attendue devant l'église dans le camion qui devait l'emporter vers le convoi. Apparemment, son crime était d'avoir épousé un juif. C'était aussi le lieu où elle s'était rendue pour la dernière fois quand elle avait appris qu'elle et toute sa classe devaient être déportées dans l'après-midi. Les opérations de triage se déroulaient dans le Veletrni, à Prague, près de Hermanova, dans un baraquement provisoire que la voie de chemin de fer bordait.

En fait, rien ne l'obligeait à faire partie du convoi. Elle s'était portée volontaire parce que toutes ses élèves devaient partir.

En arrivant à Terezin, elle avait appris que sa mère était morte de la fièvre typhoïde qui, au début, faisait des ravages dans le camp.

Mais tout cela appartenait au passé et le passé ne signifiait rien.

Ce soir-là, elle était assise à même le plancher dans ce baraquement surpeuplé, qui pouvait passer pour somptueux, à côté de cet homme étrange et mince, capable de faire rire les enfants. Et qui, pourtant, était si malheureux. Son comportement l'irritait. Sa susceptibilité dépassait celle du pire des enfants. Sa vanité la portait à rire. Et il était si facilement blessé. Mais il payait de sa personne, et ça, c'était bon.

On a tendance à cataloguer les gens dans un camp de concentration. Traits de caractère, bons ou mauvais, se lisent sur le visage de chacun à présent que le masque de la société lui a été ôté. Plus de dissimulation. Et, dès qu'elle l'avait aperçu, Antonin lui avait inspiré de la sympathie. Il lui paraissait brillant, presque effronté, et revigorant. Mais, par la suite, elle avait perçu sa couardise et son orgueil. Cette journée lui avait de nouveau fait changer d'avis. Maintenant, elle ne savait plus très bien à quoi s'en tenir. Il y avait davantage à découvrir dans cet homme, davantage à apprendre de ses pensées.

Comme toutes les femmes, elle était curieuse et elle éprouva le besoin de s'attacher à en savoir plus. Ce qui était à la fois un bon et un mauvais signe.

— Est-ce qu'ils ne vont pas nous apporter à manger ?

Le docteur dormait, tête reposant sur la poitrine, bras croisés. Le cercle d'or de son alliance accrochait un rayon de lune.

— J'en doute, murmura Vera. Nous pourrions essayer de frapper à la porte. J'entends quelqu'un dehors.

— Je n'entends rien.

— On s'habitue à écouter attentivement.

— Attention, ne troublons pas le sommeil du docteur, chuchota Antonin en jetant un coup d'œil au médecin. C'est curieux, son alliance me rappelle celle que j'ai remarquée au doigt de la secrétaire de Bürger.

— En effet, elle lui ressemble. Bizarre qu'il l'ait encore. Ce doit être de l'or.

— L'alliance de la secrétaire de Bürger est trop large pour son doigt.

— C'est un cadeau du Lagerkommandant.

— Un cadeau ?

— Il l'a prise au doigt d'une femme morte et la lui a donnée quand elle a épousé l'un de ses subordonnés.

Cette pensée occupa Antonin pendant un certain temps.

— Rien à faire pour démolir le système, n'est-ce pas ?

— Rien.

— Il doit bien exister un moyen quelconque. Nous ne pouvons pas simplement accepter ce qu'ils font.

— Il est trop tard maintenant.

— Probablement. (Antonin porta machinalement la main à sa poche pour y prendre une cigarette. Ce serait bon de fumer. Mais pas le moindre brin de tabac.) Croyez-vous que si nous frappions doucement, le garde pourrait ouvrir la porte et demander à quelqu'un de nous apporter à manger ?

— Il risquerait d'être fusillé s'il était pris à nous aider.

— On peut toujours essayer. Après ce qu'a dit Bürger, il n'oserait pas s'en prendre à nous.

Vera se mit à genoux et plaqua l'oreille contre la porte.

— Il est appuyé au battant. Je l'entends respirer. Je vais essayer.

Le bruit de ses jointures contre la porte était assourdi comme le son produit par les marteaux d'un piano. Ils attendirent une fraction de seconde et perçurent le grincement de verrous qu'on tirait. Le battant s'entrebâilla, laissant pénétrer un rayon de lune réfléchi par la neige.

— Il fait froid dehors ? demanda Vera dans un allemand parfait.

— J'ai les pieds glacés.

— Combien de temps êtes-vous de garde ?

— Je n'ai pas le droit de vous le dire.

Antonin suivit des yeux les doigts de Vera qui se glissaient par l'entrebâillement et allaient effleurer la main du soldat.

— C'est vrai, vous êtes glacé.

Sans très bien comprendre pourquoi, Antonin se sentit gagné par la colère. Peut-être était-ce le ton qu'avait emprunté Vera.

— Si ça empire, on vous enlèvera vos bottes et on vous frictionnera les pieds, murmura-t-elle.

— Ce serait bon.

La main de la jeune fille était toujours sur celle de l'homme et Antonin distingua le sourire qu'elle destinait au soldat.

— Ecoutez, dit-elle. Nous n'avons rien eu à manger aujourd'hui. Est-ce que vous pourriez faire passer un message à Robicek au A 2 ?

— C'est impossible.

— Il n'y a personne dans le secteur ?

— Seulement Stein. Il patrouille entre ce baraquement et le Schlojska.

— Comment est-il ?

— C'est un Hambourgeois !

Vera et l'homme rirent.

— Alors, ce devrait être facile.

— Je ne peux pas.

— Je vous revaudrai ça. Plus tard.

— Non. Je ne peux...

Il se tut.

— Bon, d'accord, reprit-il. Et je ne veux pas de récompense. Je le ferai. Un point, c'est tout.

Et la porte se referma. Et les verrous furent repoussés, très vite.

— Voilà. Vous voyez, tout est possible. Vous aurez bientôt quelque chose à manger.

Antonin ne la regardait pas.

— Qu'est-ce qui se passe ? Vous êtes de nouveau en colère ?

— Je ne mange pas de ce pain-là.

— Vous boudez ?

— Pas du tout.

Elle rit.

— Ne vous offusquez pas. Cela se produit constamment... Quand les gens sont malades, que les enfants ont faim. Nous toutes, les femmes. Et il y a toujours un moyen de s'en tirer. Seuls les pires salauds acceptent ce genre de marché... et, n'importe comment, ceux-là arrivent toujours à nous avoir.

Bientôt, on frappa doucement à la porte. De nouveau, on tira les verrous.

— J'ai une petite saucisse et un peu de pain, dit la voix à l'extérieur. C'est ma ration. Prenez-la. Quand je serai relevé, je pourrai aller manger à la cuisine.

La porte se referma sans bruit. La saucisse et le pain étaient dans la main de Vera.

31

Les jours suivants passèrent rapidement. Le docteur cochait la fuite du temps sur un petit calendrier qu'il avait dans sa sacoche noire. Et il organisait la journée de telle façon que même le plus petit, le plus malade des enfants fût occupé autant qu'il était possible.

Vera et le médecin s'adressaient aux enfants en allemand, Antonin en polonais, teinté de son bizarre accent tchèque.

On ne servait pas de repas à midi. La seule nourriture arrivait, comme partout à Terezin, tôt le matin. Elle consistait en une soupe maigre faite avec ce que les cuisiniers avaient sous la main et d'un peu de pain à la farine de pomme de terre. Le pain était très précieux. Chaque portion pesait environ cinquante grammes, et plus il était sec, mieux cela valait. Il durait plus longtemps. Pour les enfants, l'absorption du repas imposait un choix. Ou on économisait le pain pour le grignoter au moment où la faim devenait plus impérieuse dans le courant de la journée et, ainsi, on avait toujours quelque chose en réserve. Mais cela exigeait beaucoup de volonté. Ou on mangeait le pain avec la soupe. Ainsi, on se sentait rassasié pendant environ une heure, et si quoi que ce soit se produisait dans le cours de la journée, au moins on avait mangé un repas que personne ne pouvait vous voler — même si l'on était désigné pour un convoi.

Dans le baraquement, le docteur divisait le pain en deux parts égales de façon que chaque enfant eût quelque chose à manger dans la soirée. C'était plus symbolique que substantiel, mais cela entretenait leur espoir.

L'après-midi, les enfants étaient autorisés à sortir pour une récréation dans l'enceinte de fils de fer barbelés qui entourait le baraquement. C'était une heure privilégiée, et le médecin avait coupé l'extrémité d'une poire à lavement sur laquelle il avait collé du sparadrap pour en obturer le trou, réussissant à la transformer en une sorte de balle.

Filles et garçons jouaient ensemble, riaient, criaient, prenant des forces au fil des heures. Pour Antonin, la transformation tenait du miracle. Au début, quelques-uns, encore hébétés par la terreur qu'ils avaient connue, se tenaient contre les murs et regardaient mais, peu à peu, ils se mêlèrent aux jeux.

Le jeu de saute-mouton ralliait tous les suffrages. Antonin ne pouvait s'empêcher de prendre place dans le rang pour sauter sur le dos des enfants qui se baissaient. Quand son tour venait, il s'arrangeait toujours pour s'effondrer au moment où il devait se courber. Invariablement, il se cognait les pieds contre une pierre imaginaire et se frottait les orteils à grand renfort de mimiques. On jouait aussi à chat perché. Et essayer d'attraper Antonin équivalait à tenter de saisir un poisson. Son corps se tordait dans les positions les plus étonnantes et les petites mains qui voulaient l'agripper le manquaient toujours de quelques centimètres.

Un après-midi, après avoir passé trois jours dans le baraquement, Antonin rassembla quelques planches trouvées dans un coin de la cour. Aidé d'une dizaine de gosses, il les transporta au centre de l'aire de terre battue, là où la neige avait fondu sous le pas des enfants.

— Qu'allez-vous faire ? s'enquit Vera.

— Nous allons construire un fort, dit Antonin.

— Un fort ! s'exclama Vera, interloquée.

Après tout, ils vivaient dans un fort.

— Oui, un fort. N'est-ce pas, les gars ?

Les garçons poussèrent des cris de joie.

— Nous allons commencer en posant cette planche... là, au fond.

Tout le bois provenait d'une grange voisine et quelques clous y étaient encore plantés.

Vera et le docteur se tenaient de côté, observant la scène. Bientôt, prit forme une sorte de caisse sans couvercle d'environ deux mètres sur trois, avec une ouverture sur le côté.

— A quelle hauteur allons-nous le construire ?

Quelques-uns des enfants se poussaient pour pénétrer à l'intérieur et Antonin dut les écarter.

— On va le construire aussi haut... que toi ! s'écria Antonin en désignant un gamin d'environ huit ans, au teint sombre. (Il le prit par la main et le conduisit à l'intérieur du fort.) Oui, c'est exactement ça.

Le gosse regardait à travers les interstices des planches et criait à ses camarades.

— Je t'ai eu ! Je t'ai eu !

Il pointait un index et imitait le bruit d'une arme.

Antonin sourit.

— Nous allons jouer aux cow-boys et aux Indiens, annonça-t-il. J'ai l'impression que je devrais être le chef indien. Je ne crois pas qu'il y ait beaucoup de volontaires pour jouer les Peaux-Rouges.

Le jeu persista tout au long de la récréation.

A la fin, Vera vit Antonin qui observait le fort avec sérieux.

— Vous êtes bien sombre après un tel triomphe, remarqua-t-elle.

— Je m'étonnais de me sentir aussi heureux en un moment pareil.

— Quel meilleur moment y a-t-il pour être heureux ?

Il la regarda et il sut alors la vérité.

32

Un soir, après que le docteur eut terminé sa ronde et distribué le pain, les enfants se mirent à chanter.

Un chant familier sur des paroles polonaises. Antonin supposa que quelqu'un le leur avait appris lorsqu'ils se trouvaient dans un autre camp. L'air était très connu.

Antonin n'avait pas joué du violon depuis son arrivée à Terezin. Il n'avait même pas ouvert la boîte après que le vieil homme lui eut volé ses cigarettes, mais Vera l'avait déposée dans un coin du baraquement, contre le mur. Il saisit l'instrument et en tira quelques sons.

— Vous m'avez apporté le violon, mais qu'avez-vous fait de mon chapeau ? demanda-t-il.

— Tout d'abord, je l'ai piétiné, avoua-t-elle. Puis, je l'ai jeté sur un tas de hardes.

— Vous deviez être très en colère, remarqua-t-il en riant.

— Oui, très.

Il accordait son instrument tout en essayant de saisir les paroles de la chanson.

— Ma foi, ça n'a pas d'importance. Il avait besoin d'être remplacé.

Il commençait à suivre la mélodie, laissant courir ses doigts calleux le long des cordes comme s'il jouait pour la première fois.

Il retrouvait les paroles à présent. Elles disaient à peu près ceci :

Quand je me lève le matin,
Les feuilles tapent à ma croisée.
Quand je me lève le matin,
Le chat lape son lait.

Le soleil est alors toujours éveillé
Et les hirondelles ont quitté leurs nids.
Mon père sème le maïs bien trié,
Et ma mère fait cuire le pain béni.

Quand je me lève le matin,
Quand je me lève le matin,
L'herbe est humide de rosée.
Je me dis : vais-je oser ?

J'ai toute la journée à m'employer
Et je n'ai qu'une pensée en tête.
Mais quand je vais me coucher,
Je souhaiterais chanter à tue-tête.

La journée a été pleine, belle ;
Et quand je vais me coucher,
Je me demande : qu'ai-je tenté ?

Mais quand je me lève le matin,
Je me dis avec entrain :
Que vais-je faire d'une journée si belle ?

Les enfants chantèrent jusqu'à ce que le sommeil les terrassât, mais la mélodie continua à flotter dans l'esprit des trois adultes, longtemps, les entraînant dans une douce somnolence.

Vera ouvrit les yeux et distingua une petite silhouette qui avançait lentement, prudemment dans leur direction.

Samuel. Elle tendit le bras et effleura Antonin. Lui aussi avait vu l'enfant.

— Assieds-toi. Inutile de rester planté là.

Une conversation animée commença en polonais. Vera n'en comprenait que quelques bribes.

— S'il vous plaît, monsieur, je voudrais vous demander quelque chose.

— Eh bien, vas-y, Samuel.

— Euh... Euh... Est-ce que vous et mademoiselle Lydrakova serez là... Est-ce que vous resterez avec nous ?

— Nous resterons aussi longtemps qu'on nous y autorisera.

— Je veux dire... jusqu'à la fin ?

— La fin ? La guerre sera bientôt finie. Alors, nous vous quitterons.

— Non. Mon père m'a dit...

— Que t'a-t-il dit ?

— Il m'a dit que nous ne devions pas nous attendre à être libérés même après la fin de la guerre.

— Où est-il maintenant, ton père ?

— Ils l'ont emmené à la chambre à gaz, je crois. Mais il avait raison.

— Peut-être avait-il raison. Mais quand la guerre sera finie, il faudra que nous fassions en sorte d'être libres, que nous nous assurions que tout cela ne se reproduira pas. Ce sera à nous d'y veiller. Tu ne crois pas ?

— Oui, probablement, monsieur. Mais... enfin... je voulais seulement savoir si vous et mademoiselle Lydrakova serez ici avec nous.

Antonin prit la main du gamin et la serra. L'enfant se tourna et s'inclina légèrement vers Vera.

— Je vous en prie, traduisez-lui. Je ne crois pas qu'elle comprenne. Mais je souhaite qu'elle aussi soit avec nous.

— Je vais le lui dire. Maintenant, retourne te coucher

et tâche de dormir... sinon, je me verrai obligé de me lancer dans un numéro et de réveiller tout le monde.

Samuel étouffa un gloussement et Antonin le ramena jusqu'à la couverture qu'il partageait avec trois autres garçons.

Plus tard, il rapporta la conversation à Vera.

— C'est bon de sentir qu'on a besoin de vous, n'est-ce pas ? murmura-t-elle.

— C'est essentiel. J'ai toujours cru que les autres n'avaient besoin de moi que pour rire. Le reste de mon être me faisait l'effet d'une coquille vide.

— Même à l'égard de votre femme ?

— Vous saviez que j'avais été marié ?

— Simple intuition féminine.

— Elle est morte l'année dernière... et après, je me suis effondré.

— Je comprends.

Il y eut un silence. Il sentait la cuisse de la jeune femme contre sa jambe. Il savait qu'elle gardait les yeux fixés sur lui. Il se tourna vers elle et lui offrit un visage affaissé, aux traits mous. Elle rit. C'était une façon d'échapper à leur gêne.

— Chut ! intima-t-elle. Nous allons réveiller le docteur. Ecoutez-le ronfler.

— C'est un chic type.

— Il paraît que c'est un excellent chirurgien. C'est probablement pour ça qu'ils ne lui ont pas coupé le doigt pour récupérer son alliance. Après la guerre, il a l'intention de monter une clinique à Lausanne.

— Moi aussi, j'ai des projets, dit Antonin. Un nouveau théâtre comique à Prague.

— Faire des projets est le meilleur moyen de tenir le coup ici, fit-elle avec un petit rire. Vous les modifierez probablement de jour en jour. (Elle laissa passer un temps.) Je m'efforce de ne pas y penser, mais je me demande ce que deviennent mes filles.

— Tout se passe sûrement bien.

— Luba a dû me remplacer.

Un nouveau silence s'établit.

— Toni ?

— Oui ?

— Je suis contente de vous savoir plus heureux.

— Je n'ai jamais été aussi heureux de ma vie. Je n'ai jamais eu de meilleur public. Je ne croyais pas avoir le talent nécessaire et, pour être franc, j'ai toujours un peu méprisé les artistes qui se produisaient devant les enfants. Horrible, hein ?

— Mais vous avez dépassé ce stade maintenant.

— Oui.

Un nouveau silence s'établit. Il souhaitait ardemment l'embrasser mais il se sentait gêné.

Au lieu de quoi, il se tourna et lui prit la main.

— Bonne nuit, dit-il très vite et s'éloigna pour gagner l'endroit qui lui était réservé près de Samuel.

Vera demeurait étendue sur le dos, espérant entendre le pas d'Antonin qui reviendrait vers elle. Mais il ne revint pas.

« Quand je me lève le matin, je me dis : vais-je oser ? » fredonna-t-elle.

33

Quand le S.S. de garde à la porte les laissa sortir pour la récréation le lendemain, le soleil brillait et il faisait doux. Après avoir battu des paupières pour s'habituer à la lumière vive, tous s'aperçurent que la chaleur subite avait fait fondre la neige, ne laissant sur le sol que quelques flaques et des plaques de sable humide.

On tendit au docteur un papier officiel. Il s'agissait d'un ordre émanant de Bürger.

Il était ainsi libellé : NOUS AVONS FAIT ENLEVER LE FORT CONSTRUIT POUR LES ENFANTS. NOUS NE POUVONS AUTORISER QUE CEUX-CI SE LIVRENT A DES JEUX DE GUERRE QUE NOUS CONSIDERONS COMME NEFASTES. BURGER, LAGERKOMMANDANT.

Quand le docteur montra la note à Antonin et à Vera, tous deux éclatèrent de rire.

Les enfants ne rirent pas. Ils étaient en colère et il fallut un certain temps à Antonin pour les calmer. Il les fit jouer à saute-mouton, puis à chat perché.

Samuel s'était emparé de la balle improvisée par le docteur. Pendant la récréation, le garde se plaçait invariablement devant la clôture de barbelés. Ainsi, il devenait difficile de transmettre des messages et les sentinelles pouvaient surveiller les enfants.

Samuel et quelques-uns de ses camarades lançaient la balle en l'air et essayaient de la rattraper. Quand ils la manquaient, ce qui se produisait fréquemment, elle rebondissait de façon bizarre, avec mollesse.

Antonin vit ce qui allait arriver. Bien que la balle eût atterri à l'intérieur de la clôture, il comprit qu'elle ne manquerait pas de rebondir par-dessus le fil de fer barbelé.

Il ne s'était pas trompé. Elle s'enfonça dans un petit buisson, à environ trois mètres du S.S.

Avant qu'Antonin ait eu le temps d'intervenir, Samuel cria à ses camarades :

— Restez là, je vais la chercher !

Il se jeta à terre et se mit à ramper sous le fil de fer. Il paraissait étonnamment fluet, petit. Sa tête se trouvait déjà de l'autre côté et il avançait, main tendue vers la balle.

Antonin aurait voulu crier, mais il se tut comprenant qu'il alerterait le garde. Il se précipita vers la clôture. Les pieds de l'enfant avaient déjà passé les barbelés et il ne pouvait donc le tirer en arrière. Il rendit grâce à Dieu ; le bruit qui régnait dans la cour empêchait le soldat d'entendre ce qui se passait aux abords de l'enceinte.

Quand Antonin parvint aux fils de fer barbelés et se pencha, sentant les piquants contre sa chemise, il vit que les doigts de Samuel se refermaient sur la balle.

A cette seconde, le garde se retourna ; il avança d'un pas et posa sa botte sur la main de l'enfant.

Samuel regarda la botte, puis ses yeux montèrent craintivement à la rencontre du visage de l'homme qui le toisait.

Il s'agissait d'un nouveau, d'un S.S. qu'ils n'avaient encore jamais vu et qui avait sans doute reçu ses instructions le matin même car il dit immédiatement :

— Alors, on essaie de s'échapper, hein ?

Il agrippa Samuel par le col et le remit sur pied.

— Laissez-le tranquille. Il essayait seulement de récupérer sa balle.

— Il tentait de s'évader ! Qu'est-ce qu'il faisait en

dehors de la clôture ? Pourquoi est-ce qu'il ne m'a pas demandé de lui renvoyer sa balle ?

— Lâchez-le ! hurla Antonin. Je vais informer le Lagerkommandant !

— C'est chez lui que je le conduis. *Lauf !*

Tenant toujours Samuel par le col, il commença à marcher en direction du quartier général.

Tous les enfants se pressaient contre les barbelés.

— Ne faites pas ça ! cria Antonin. Il lui est interdit de quitter l'enceinte. Vous aurez des ennuis pour l'avoir laissé sortir.

L'homme se figea soudain. Il lâcha Samuel.

— J'aurai des ennuis si je ne l'amène pas, riposta-t-il. (Il retourna vers le buisson où se trouvait la balle.) Voilà la preuve dont j'ai besoin, ajouta-t-il en reprenant Samuel par le bras.

Vera cria tout à coup :

— Il y a bien quelque part un enfant qui vous tient à cœur, non ?

L'homme s'immobilisa et essuya la balle contre sa vareuse.

— N'avez-vous pas un fils ? Ne comprenez-vous pas qu'il essayait simplement de récupérer sa balle ? insista Vera.

L'homme la considéra. Il faisait sauter la poire de caoutchouc dans sa main. Il regarda de nouveau Samuel.

— Vous voudriez le faire fusiller ? Rendez-le-nous... au nom de votre fils.

Le S.S. continuait à faire sauter la balle. Il la laissa tomber. Quelques rires enfantins s'élevèrent.

Le garde sourit.

— Allez, ramasse-la et file là-dedans. Si jamais je reprends l'un de vous à sortir, je jure que je l'abats. Ce sont les ordres. Et les ordres sont les ordres. Maintenant, fous le camp.

Samuel s'était déjà glissé sous les barbelés et une

143

ovation monta quand Antonin le tira à l'intérieur de l'enceinte.

Le garde avait été bien inspiré en s'abstenant d'amener Samuel au bureau du Lagerkommandant. Bonne chose pour l'enfant aussi bien que pour lui. Bürger venait de recevoir un télégramme particulièrement contrariant.

34

Ce qui contrariait surtout Bürger était le retard de trois jours apporté à la délivrance du télégramme. Où avait-il été retenu ? Avait-il été antidaté afin de le faire passer pour un imbécile ?

Il le retournait entre ses doigts comme si le verso du message pouvait lui en apprendre davantage.

Pendant ce temps, son aide de camp se tenait au garde-à-vous. Il attendait.

— Vous êtes certain que personne n'a touché à quoi que ce soit du côté vert des palissades ?

— Les hommes ont patrouillé constamment et j'ai vérifié personnellement ce matin.

— S'ils doivent arriver jeudi, cela ne nous laisse que trois jours.

— A 13 heures, mon commandant.

— Oui, trois jours et près d'une heure ! (Il claqua des doigts et Hans, le berger allemand, vint lui lécher la main.) Vous annulerez tous mes rendez-vous prévus pour cet après-midi. Nous reverrons le programme ensemble. Vous m'apporterez les papiers après déjeuner. Oh, et dites à Hilda de faire repasser mon complet de sport vert en Harris tweed. Je porterai celui-là. Il conviendra mieux, je crois.

— L'équipe de cinéastes est déjà arrivée, mon commandant. Ils aimeraient savoir quand ils pourront se mettre au travail.

— Nous leur préparerons quelques scènes pour jeudi matin, mais aucune prise de vues avant. Ils sont tous allemands ?

— De Berlin, mon commandant. Du ministère de la Propagande.

— Bon Dieu ! Avez-vous jamais vu une photo de Herr Eichmann ?

Bürger lança une coupure de presse sur le bureau.

— Tenez, regardez. Le voilà avec des Juifs à Belsen !

— Il doit venir ? demanda l'aide de camp avec un soupçon de nervosité.

— J'en doute.

Le Lagerkommandant saisit une autre coupure.

— Et voici Sussens. Deux Suédois et un Portugais doivent l'accompagner. Avons-nous des sardines ?

Il sourit de sa propre plaisanterie.

— Et si quelqu'un trace une inscription ou se pend à la palissade verte, il y aura des représailles sévères.

— J'ai prévu de faire évacuer les bâtiments ouest et nord, mon commandant. Une garde d'honneur précédera la délégation pour disperser d'éventuels manifestants, mais soyez assuré qu'il n'y en aura aucun.

— C'est vous qui le dites. On ne doit jamais faire confiance à un Juif. Surtout quand il est acculé.

— Je suis absolument d'accord, mon commandant.

L'aide de camp prenait des notes sans cesser de se tenir au garde-à-vous.

Bürger eût souhaité allumer un cigare, mais il n'avait plus d'allumettes. Il se contenta de le mâchonner.

— De combien de wagons disposons-nous à Prague ?

— Environ une trentaine, mon commandant. Je peux vérifier.

— J'en veux cinquante. Et je veux qu'ils soient ici mercredi à l'aube.

— Cinquante, mon commandant ? répéta l'aide de camp sans parvenir à cacher sa nervosité croissante.

146

— J'ai dit cinquante. Et une locomotive assez puissante pour leur faire effectuer un long trajet. Je veux que le train soit sous la responsabilité d'une compagnie du génie. Des hommes en armes. Un convoi militaire.

— Mais, mon commandant, pourquoi ?

— Vous verrez. N'oubliez pas pour mon complet, et soyez de retour à 14 heures précises avec les programmes.

— Oui, mon commandant.

— Au fait, ajouta Bürger en passant devant l'aide de camp pour gagner sa voiture et aller déjeuner, le banquier, les boutiquiers, les gens qui se promèneront dans les rues sont-ils vraiment dignes de confiance ?

— Oui, pour autant que je sache.

— A 14 heures.

— A 14 heures, mon commandant.

35

— L'heure est venue, annonça Antonin. C'est pour après-demain.

Vera, qui se tenait tranquillement à côté de la porte attendant la sortie des filles qui gloussaient comme chaque jour sous la douche, frissonna involontairement.

— Quand l'avez-vous appris ?

— L'aide de camp de Bürger vient de me remettre les papiers.

— Nous tous ?

— Apparemment.

— Où est le docteur ?

— Dans la salle d'eau. Il panse une coupure. Rien de grave.

Les garçons, qui attendaient leur tour pour passer sous la douche, parlaient avec animation d'un jeu auquel ils venaient de se livrer pendant la récréation. Dans le feu de l'action, ils avaient crevé la balle du docteur et un gamin, Stanislas, était la cible de tous les reproches.

Soudain, le bruit parut insupportable à Antonin.

— La ferme ! Silence tout le monde ! cria-t-il d'une voix forte. Silence !

A peine son cri lui avait-il échappé qu'il le regretta. Les enfants sursautèrent, effrayés.

— Ça va, ce n'est rien. Mais soyez un peu moins bruyants.

L'aide de camp de Bürger était venu accompagné d'un sergent S.S. Antonin l'ignorait, mais l'homme était le sous-officier chargé de tous les convois. Il apportait une liste d'instructions. L'heure à laquelle ils devaient quitter le baraquement. L'heure à laquelle ils devaient arriver au Schlojska. L'heure de ceci, l'heure de cela. La liste comportait plusieurs pages et comprenait des points particuliers, tels que la confiscation des armes à feu avant d'embarquer dans le train, le poids des biens que l'on était autorisé à emporter (pas plus de vingt-cinq kilos), et le genre de vêtements à mettre.

Tout en parcourant la liste des yeux, Antonin releva un article qui le fit s'esclaffer. Il avait désespérément cherché quelque chose qui lui tirât un rire.

— Il est précisé que si de l'ail est découvert sur un prisonnier quelconque faisant partie du convoi, celui-ci sera abattu.

A sa grande surprise, Vera prit l'interdiction au sérieux.

— Vous n'étiez pas au courant ? On nous interdit de manger de l'ail. C'est aussi grave que si l'on est découvert en train de fumer.

— Pourquoi l'ail ?

— Pourquoi le tabac ?

— Tout cela est absurde.

— Bien sûr.

— Je suppose qu'il est inutile d'opposer une résistance quelconque ?

— Ça a déjà été tenté. Ça ne réussit jamais. Pourtant, il arrive que quelqu'un essaie, mais il est abattu et souvent avec plusieurs de ses camarades.

Le docteur sortit des douches, trempé, tenant dans les bras une petite fille en pleurs.

— Ces gosses font face aux pires catastrophes sans seulement verser une larme, mais quand il s'agit de leur retirer une écharde d'un orteil, ils poussent des hurlements.

Il déposa la fillette dans une couverture et l'en enveloppa.

— Qu'est-ce qui vous rend si tristes tous les deux ?

— Nous sommes désignés pour le prochain convoi. Après-demain.

Les filles commençaient à sortir de la salle d'eau et les garçons se chamaillaient pour y entrer.

— Du calme ! Du calme ! s'écria le docteur. Les petits d'abord, et ensuite vous. (Il désigna un groupe après s'être essuyé les mains à sa chemise.) Et vous en dernier, les gars. Et pas de bêtises, sinon j'irai mettre de l'ordre.

Il se tourna vers Antonin.

— La rumeur circulait déjà hier soir. Robicek est venu. Il se promène dans un uniforme volé, vous savez. Qui lui va très bien, d'ailleurs. Il semble que nous ne soyons pas les seuls. Ils ont demandé cinquante wagons à Prague. Les Anciens dressaient déjà les listes quand Robicek est passé. Nous serons plus de trois mille.

— Trois mille !

— Eh oui, Terezin commençait à être sérieusement surpeuplé. Après tout, il restera environ quarante-neuf mille personnes ici, dans un endroit conçu pour en abriter six mille. On ne peut pas simplement supprimer un zéro et annoncer à la Croix-Rouge que nous ne sommes que cinq mille. D'ailleurs, ça ne correspondrait pas à la mentalité allemande. (Il sourit.) Personnellement, en tant qu'Allemand, je n'approuverais pas.

Antonin dévisagea le médecin. En dépit de ses plaisanteries, les larmes lui emplissaient les yeux.

— Avez-vous une idée de l'endroit où ils nous emmèneront ?

— En Pologne orientale, je suppose. C'est un peu comme le paradis, on ne sait jamais avant d'y être arrivé.

150

— Ce ne sera pas facile. Comment allons-nous leur annoncer la nouvelle ?

— Il vaut mieux les prévenir aussi tôt que possible, dit Vera. Ils auront le temps de se remettre du choc et ils partiront dans le calme.

— Oui. Mais que diable vont-ils faire de nous ? Nous envoyer dans un autre camp surpeuplé ?

— Un autre camp surpeuplé ! s'écria le docteur dans un subit accès de rage. Vous êtes complètement idiot ! Vous avez vu ces canalisations et ces fondations de béton qu'ils construisent dans la petite forteresse ? Eh bien, depuis deux ans déjà, ils ont les mêmes dans un camp qui s'appelle Auschwitz. Et les installations fonctionnent. Elles fonctionnent ! A la descente du convoi, les prisonniers sont placés sur deux files. Les jeunes femmes et les travailleurs d'un côté, les enfants et les vieux de l'autre. Les femmes et les travailleurs entrent dans le camp et les autres sont dirigés sur ces satanées douches. Et ils n'en ressortent pas. Jamais de surpopulation à Auschwitz. Le nombre de ses habitants reste constant !

Il se tenait là, debout, gros, trapu, les joues sillonnées de larmes. Il se moucha dans un pan de sa chemise. Il retrouvait son calme.

— Excusez-moi. Mais certains d'entre nous sont au courant depuis pas mal de temps. Ces enfants savent. C'est pourquoi on les a isolés. Et, avec l'arrivée de la Croix-Rouge jeudi, ils veulent se débarrasser de tous ceux qui sont susceptibles d'en savoir trop.

Il se moucha encore.

— Excusez-moi. Il y a un garçon dans les douches qui est épileptique. Il faut que je le surveille.

— Mais quand... quand allons-nous le leur dire ? demanda Antonin.

— Quand ils seront propres et que nous leur aurons donné quelque chose à manger.

36

Ils prévinrent les enfants une demi-heure plus tard. Ce fut beaucoup plus facile qu'Antonin ne s'y était attendu. Il n'y eut pas de panique, pas même une larme. La seule question fut posée par Samuel. Il voulait savoir où ils seraient emmenés, mais comme personne n'était en mesure de lui répondre, il garda le silence jusqu'à ce que tous fussent couchés. Puis, il alla rejoindre Vera et lui étreignit la main.

— Vous venez tous les deux ?

— Pas question de vous abandonner maintenant, assura Antonin.

— J'avais besoin de savoir.

— C'est promis. Et, qui sait, nous gagnerons peut-être au change.

— Merci.

Il leur serra de nouveau la main et retourna vers sa couverture.

Un peu plus tard dans la nuit, on frappa à la porte. Vera en était toute proche quand elle s'entrebâilla. Une voix dit :

— C'est arrivé dans un envoi de la Croix-Rouge que j'ai reçu aujourd'hui. Il y avait plusieurs centaines de colis. J'en ai volé cinq.

La porte se referma. Il y avait cinq plaques de chocolat suisse dans la main de Vera.

Cinq plaques devant être divisées en soixante-trois... bien peu pour chacun. N'importe, le geste était beau.

Pendant ce temps, au quartier général S.S., Bürger se levait de derrière son bureau. Il était en bretelles. Son aide de camp resta assis, très raide, à la table de travail.

— Tout est prêt. Et synchronisé à la seconde. Nous aurons une répétition demain et ce sera tout.

— Et le clown, Herr Kommandant ?

— Oui, Karas et Lydrakova... (Bürger haussa les épaules.) Ça présente un certain problème. Ils auront quitté Terezin avant l'arrivée des visiteurs, mais nous pouvons nous passer d'eux. Après tout, aucun programme officiel n'a été mis au point. Tout doit être spontané. J'estime que l'orchestre, les danseurs dans la rue, les expositions d'art et les chants d'enfants suffiront pour faire étalage du talent juif. Inutile d'en faire trop.

— En effet, mon commandant.

— Bon. Eh bien, je vais me coucher. Bonne nuit. Eteignez en sortant.

Il saisit sa vareuse et sa capote, et sortit.

37

L'aube se leva, étincelante, par ce matin de décembre. Le soleil apparut au-dessus des murailles de la forteresse, et les internés du D 246, le seul bâtiment de trois étages à Terezin, eurent la chance de le voir monter au-dessus des collines et filtrer à travers les bouquets de conifères.

Mais il faisait froid. Atrocement froid. Plus de mille personnes s'entassaient déjà au Schlojska quand les enfants y furent conduits. Le vieux Robicek, de son poste d'observation privilégié, avait vu arriver le train pendant la nuit. Il y avait effectivement cinquante wagons. Le convoi s'étendait du portail jusqu'à l'extrémité de la ligne. Il comportait deux locomotives et le tout était placé sous la responsabilité d'une compagnie du génie de l'armée allemande. Armés de chiffons et d'huile, les hommes s'efforçaient de donner aux deux vieilles machines poussives l'apparence d'engins alertes et efficaces. Le camouflage gris et noir faisait ressembler l'avant du train à une tête de serpent, mais il ne s'étendait pas aux wagons dont certains avaient récemment été utilisés pour amener du bétail de Slovaquie et d'Ukraine.

Le Schlojska était un baraquement couvert de tôle ondulée, attenant à une grande bâtisse de pierre grise haute de deux étages et renfermant une immense cour. A l'intérieur du Schlojska, il n'y avait rien sinon de l'air et, quand les lieux s'emplirent de prisonniers arrivant par groupes de cinquante ou soixante de chaque bloc, il en resta bien peu.

Lorsque Antonin, Vera, le docteur et les enfants y furent à leur tour parqués, ils ne virent pratiquement rien mais, peu à peu, leurs yeux s'accoutumèrent à l'obscurité et ils distinguèrent les visages muets, résignés, qui les entouraient. Puis, la porte se referma et le bruit des gardes amenant de nouvelles fournées de prisonniers représenta tout ce qui restait de Terezin.

Sentiment étrange. Antonin avait haï Terezin. Durant son court séjour, il y avait fait la connaissance de la brutalité et de la stupidité sous toutes leurs formes. Pourtant, il éprouvait une émotion à l'idée de quitter ces lieux. Ils étaient devenus un refuge, un terrier, où l'on parvenait à deviner la façon d'éviter le danger, à continuer à exister. Un foyer presque.

Beaucoup de ceux qui étaient passés par le Schlojska avaient laissé, dissimulés sous les lattes du plancher ou dans la terre, des souvenirs et des biens de tous ordres, objets infiniment plus précieux que leur valeur intrinsèque : petits cailloux irréguliers, dessins tracés sur des morceaux de carton arrachés aux emballages des bouteilles d'alcool destinées aux officiers ; notes de musique griffonnées sur des planches ou à l'intérieur des couvertures de livre. Une liste de joueurs de football épinglée sur un mur pour un match qui n'aurait jamais lieu. Une cuillère sculptée dans une branche d'orme. Inventaire interminable car presque chacun possédait quelque chose.

Beaucoup d'autres avaient apporté toutes leurs affaires. Ils connaissaient les règlements, bien sûr. La liste des objets autorisés leur avait été lue et relue. Vêtements de rechange, une ration de pain, une brosse à dents, et du dentifrice. Une brosse à dents ! Pourquoi pas une réglementation sur les pianos à queue, songea Antonin.

155

Il percevait la présence de Vera à côté de lui. La main de la jeune fille l'effleura par inadvertance. Etait-ce vraiment par inadvertance ? Il la toucha à son tour. Non, ce n'était pas un hasard. Il baissa la tête. Les yeux du jeune Samuel brillaient dans la pénombre. Les enfants gardaient le silence. De temps à autre, une toux ou un raclement de pied meublait l'attente.

— Je suppose qu'il est absolument inutile de se battre ou de tenter quoi que ce soit ? répéta-t-il.

— Ça ne marche jamais, affirma Vera en secouant la tête.

— Il faut faire quelque chose.

— Dehors, dans la cour, quelqu'un essayera. Vous verrez.

— Il doit tout de même y avoir un moyen.

— Non, il n'y a rien, Toni, rien.

— Vous savez ce qui ne va pas ?

— Quoi ?

— L'ennui, chez nous, c'est que nous avons tous été conditionnés en vue d'accepter. Autant en avoir conscience. Mais il y a sûrement un moyen quelconque. Les gens vivent dans un rêve.

— Et pas vous ?

— Peut-être, marmonna Antonin après un instant de réflexion. Mais je crois que c'est différent en ce qui me concerne. Je me suis réveillé.

— C'est possible. Mais que pouvons-nous faire ?

— Je ne sais pas. Je n'ai pas l'intention de provoquer une émeute. Ce serait ridicule. Il faudrait un plan, rapide et bien organisé... quelque chose.

— Je vous en prie, soyez prudent, dit-elle en lui prenant la main.

— Je vais imaginer un moyen quelconque. Et ça réussira ! D'une façon ou d'une autre !

Le Schlojska fut soudain inondé de lumière par l'ouverture de la porte donnant à l'ouest qui menait à une arcade et, par-delà, dans la cour. La clarté fouilla les prisonniers qui se mirent à parler avec nervosité, à s'injurier les uns les autres, s'accusant de pousser, de donner des coups, et même de voler.

Ils défilèrent sous l'arcade comme s'il s'agissait de l'amorce de la grand-route menant à la liberté, se pressant, se bousculant.

A première vue, Antonin estima qu'environ huit cents personnes s'entassaient déjà dans la cour. Celle-ci était infiniment plus vaste qu'il ne l'avait cru et il comprit pourquoi les Allemands avaient choisi ce bâtiment pour servir de quai d'embarquement. Les huit cents personnes furent mises en rangs, lesquels, d'après Antonin, devaient correspondre à des cantonnements et des numéros de rue. Tous se tenaient au garde-à-vous et faisaient face aux murs. Par rangs de dix et séparés d'environ un pas. Un passage vide de quatre mètres s'étendait au centre jusqu'à l'arcade opposée. De l'autre côté de celle-ci, chacun le savait, attendait le train. Le portail y conduisant était fermé.

A côté de l'arcade, il y avait une petite table flanquée de caisses contenant des cartons blancs portant des numéros auxquels pendait un morceau de ficelle. Juste la longueur nécessaire pour la passer autour du cou d'un individu.

Le soleil atteignait maintenant le sommet du mur ouest de la cour. Toutes les fenêtres du deuxième étage étaient ouvertes. A l'extrémité, au-dessus du porche ouest, s'avançait un petit balcon. A une époque, il avait servi de poste d'observation à l'officier commandant les garnisons de Marie-Thérèse ; de là, il passait les troupes en revue. Maintenant s'y tenait un homme armé d'une mitrailleuse. Des soldats étaient postés à la plupart des fenêtres. Si quelqu'un s'avisait de tenter quoi que ce soit, le train partirait avec un chargement de cadavres.

— *Lauf ! Lauf !*

Pour une fois, ne pourraient-ils pas laisser les gens marcher normalement ? songea Antonin. Vieux et jeunes couraient vers les endroits qui leur étaient assignés, où des soldats brandissaient des cartons portant des numé-

157

ros de rue. En quelques minutes, tous furent en place derrière les groupes déjà formés.

Vera et Antonin, accompagnés du docteur, furent une fois de plus isolés. On les fit courir vers un angle, sous un avant-toit, au sud. Là, il y avait encore de la neige sur les pavés. Vera regarda en direction des enfants et sourit, mais ceux-ci gardaient les yeux fixés droit devant eux. Le spectacle de tous ces individus que l'on faisait avancer dans la cour pour faire place à la nouvelle fournée qui arrivait du Schlojska, avait presque quelque chose de comique. Ils caquetaient comme des poules et se conduisaient en vilains garnements. Quelques femmes poussaient des bébés dans des voitures faites avec les moyens du bord. Chacun agrippait son balluchon. Un homme avançait sur des béquilles et se servait de l'une d'elles pour désigner hargneusement sa femme qui marchait péniblement, pliée sous le poids de deux ballots de hardes. Grand, anguleux, un autre se déplaçait, très droit, une canne-siège de chasse à la main. Il ne courait pas. Il marchait.

Bientôt, ils furent près de deux mille dans la cour et l'air commença à se réchauffer. Antonin serrait contre lui son violon, le seul bien du groupe. Ils ne possédaient que les vêtements qu'ils portaient et cent grammes de pain noir chacun. Il ne pouvait s'agir d'un très long voyage. Peut-être les emmenait-on seulement à Prague ?

La seule pensée des clochers de la ville, si paisiblement posés au cœur de la vallée verdoyante et boisée, ranima Antonin. Il devait garder son esprit fixé sur un unique but. La liberté !

Un soldat allemand se tenait devant lui, à moins d'un pas, la mitraillette en position de tir. Antonin chercha le regard de l'homme, mais les yeux de celui-ci traversaient le groupe pour aller se perdre sur le mur gris du fond.

Les yeux de l'Allemand étaient bruns, entourés d'un fin réseau de rides. Visage bouffi. Environ dix-huit ans. Cou blanc, à part une large ligne rouge à l'endroit où frottait le col rude de sa vareuse.

« A quoi peut bien penser ce pauvre con ? » se demanda
Antonin.

Etait-ce la fierté qui le poussait à observer un garde-à-
vous impeccable ? Qui l'avait incité à astiquer les
boutons de sa tenue au point de les faire étinceler ? Qui
lui inspirait cette obéissance fanatique ?

Antonin fut arraché à ses pensées par le silence
soudain qui tomba sur la cour, suivi du claquement de
bottes sur le pavé.

Bürger venait d'arriver. Il se tenait avec son aide de
camp et deux soldats armés de mitraillettes sous l'arcade
ouest. Le berger allemand était à ses pieds. Les derniers
malades fermaient la marche, portés par leurs camarades sur des civières improvisées.

A part l'espace vide ménagé au centre, il ne restait pas
un pouce de libre dans la cour.

Antonin pencha la tête sur le côté.

— Le Dr. Hertzog est là, chuchota-t-il à Vera.

Une lueur traversa les yeux du garde. Un rappel à
l'ordre.

— Les Anciens vont procéder à des substitutions,
expliqua-t-elle.

— Quelles substitutions ?

— Vous verrez. Il y a toujours certaines faveurs
accordées en dernière minute. C'est le privilège des
Anciens.

— Quelles faveurs ?

— *Halt's Maul !* dit le soldat tranquillement.

Le sergent qui, assis à la table, venait d'écrire intermi-
nablement, se leva.

Chaque soldat chargé d'un groupe reçut une liste. Il
procéda alors à l'appel.

Quand vint le tour d'Antonin et des enfants, il n'y eut
que deux noms. Vera Lydrakova et le Dr. Weinberg,
suivis d'un appel de numéros.

Que son nom ne fût pas prononcé contrariait Antonin.
Passe encore pour les enfants qui ne devaient même pas

159

connaître leurs patronymes, mais pourquoi son nom ne figurait-il pas sur la liste ?

Il jeta un coup d'œil aux autres groupes. Il semblait que chacun eût été recensé. Il s'apprêtait à dire quelque chose, à élever une protestation, mais il s'abstint. Toute son énergie devait se concentrer sur un plan. La réussite de sa vie tiendrait à la réussite de son plan. Antonin Karas, ou tu échoues ou tu deviens un héros. Cela dépend de toi.

L'appel avait pris fin.

— Les substitutions suivantes ont été décidées.

La faible voix du vieux Dr. Hertzog parvenait à peine à Antonin qui se trouvait à l'extrémité de la cour. Peut-être allait-il être l'objet de l'une des substitutions... Pendant une fraction de seconde, son cœur nourrit un espoir que sa raison étouffa.

— Dvorak !

Le vieil homme toussa. Il y avait quelque chose de coupable dans sa toux.

— Jelinek, Zatopek, Stastna, Stepanek, Capek, Klement, Hermanakova. (Il marqua une pause et toussa encore.) Bederich, Narodni, Hellman, Koch, Pellisier, Montecorvo...

En entendant les noms appartenant à diverses nationalités, Antonin se dressa sur la pointe des pieds et regarda autour de lui. Il aperçut des visages italiens, des visages français, des visages hollandais et danois, des visages allemands, des visages polonais. Il ne s'était jamais rendu compte de l'aspect cosmopolite que présentaient les prisonniers de Terezin.

A l'appel de chaque nom, la personne concernée se précipitait vers la table et allait se tenir entre le membre du Conseil des Anciens et Bürger.

Il était environ dix heures. Les prisonniers étaient debout depuis plus de deux heures.

Vingt-cinq personnes étaient portées sur la liste des substitutions. Elles se mirent en rangs par deux, prêtes à franchir le portail ouest. Quelque part, vingt-cinq autres prisonniers attendaient. On les avait tirés de leur lit ou de Dieu sait où au dernier moment, alors qu'ils croyaient avoir échappé au convoi.

Le membre du Conseil des Anciens hocha la tête à l'adresse de Bürger. L'officier ne lui accorda pas un regard. Il se contenta de lever sa badine. Le vieillard prit la tête des vingt-cinq hommes en sursis. Il n'était pas heureux. Sa tâche était difficile. Chacun sollicitait une faveur. Celle-ci était l'ultime faveur. Et il passait bien des heures d'insomnie à faire son choix. Mais au coucher du soleil tout serait accompli. Il pourrait regagner son cantonnement et dormir.

Antonin l'ignorait, mais les vingt-cinq remplaçants se trouvaient déjà au Schlojska. Question de protocole. Les individus qui avaient acheté leur liberté devaient quitter la cour avant que les autres n'y entrent. La porte s'ouvrit et ils apparurent dans le soleil. La plupart étaient jeunes. Un adolescent danois ou hollandais, dont la chevelure avait curieusement échappé à la tondeuse, marchait à leur tête. Ils ne se rebellaient pas, ne se querellaient pas. Ils avançaient fièrement en regardant les groupes. L'un des hommes, âgé d'environ trente-cinq ans, aux cheveux très foncés, au corps squelettique, avait épinglé une médaille sur sa veste. Elle pendait au-dessus de l'étoile de David.

Le Conseil des Anciens avait choisi les hommes de ce groupe avec soin, sous la surveillance attentive de Bürger. Tous ceux qui la composaient pouvaient être considérés comme de fortes têtes.

Ils s'immobilisèrent en rangs par deux au centre de l'espace libre. Deux soldats derrière eux, un en tête.

Pour Antonin, le groupe incarnait l'espoir. Il essaya d'attirer le regard du jeune Danois. L'homme paraissait préoccupé. Lui aussi avait peut-être un plan.

Certains des enfants commençaient à pleurer. Antonin regarda Samuel. Le visage du garçon était impénétrable.

A présent, il devait être onze heures.

Quelqu'un avait déposé une caisse à côté de Bürger. L'officier y grimpa. De là, il avait une vue d'ensemble.

— Silence ! aboya-t-il. Silence !

Antonin refréna difficilement un rire. Personne ne parlait. A moins que l'ordre de Bürger ne s'adressât aux bébés qui pleuraient ! C'était bien là la façon nazie de commencer un discours. Encore une mise en condition !

Cette pensée ramena Antonin au visage du soldat qui se tenait devant lui. La mise en condition. Nous sommes tous conditionnés. Conditionnés à attendre que le prochain tramway nous prenne au coin de la rue, conditionnés à absorber un repas chaque jour, conditionnés à accepter tout système dans lequel nous vivons. Les pensées se précipitaient avec une telle rapidité dans l'esprit d'Antonin qu'il avait de la peine à les enregistrer. Une sorte de fièvre. Quoi que nous fassions, quel que soit l'endroit où nous vivons, nous sommes conditionnés. Nous sommes prisonniers d'un système — système élaboré par certains d'entre nous pour nous aider à vivre, mais qui nous tient sous sa férule et nous oblige à accepter nos limites avec résignation, ou sans même en être conscients.

Le cas du garçon nazi qui se tenait devant lui ne différait en rien. On lui avait appris à croire. Et à accepter. Le garçon n'était pas aveugle. Il n'était pas spécialement bête. Il acceptait, tout comme un entrepreneur de pompes funèbres ou un boucher accepte sa condition.

Et voilà où ça vous amenait ! Ici. Un demi-Juif, comédien fini, qui regardait dans les yeux un garçon de dix-huit ans, conditionné, au visage bouffi. L'un sachant que l'autre était sur le point de mourir et cette pensée glissant sur lui comme une goutte d'eau.

Antonin ne put y résister. Il laissa s'affaisser les commissures de ses lèvres, se mordit la lèvre inférieure et loucha.

162

Les traits du jeune soldat nazi se tirèrent en un sourire.

— Numéro 297 !

Le sergent chargé des papiers criait. Bürger était toujours juché sur sa caisse. Antonin n'avait pas entendu une seule de ses paroles. Elles n'avaient pas dû non plus produire la moindre impression sur ceux qui l'entouraient, à en juger par leurs visages.

Que diable voulaient-ils au numéro 297 ? Antonin vit une vieille femme du groupe voisin se pencher vers l'homme à ses côtés. Elle lui cria :

— C'est toi, chéri ! On t'appelle !

Le vieillard, manifestement sourd, se précipita vers la table. Il y eut un échange de mots aigres-doux entre le sergent et le caporal. Le vieillard fut emmené.

Dix minutes s'écoulèrent. Antonin vit la vieille femme s'essuyer les yeux avec l'ourlet de sa robe. Qui pouvait deviner ce qui se passait derrière toutes ces rides ? De toute façon, elle ne vivrait peut-être pas assez longtemps pour faire partie du convoi.

Une autre substitution. Le remplaçant était vieux lui aussi et il prit place à côté de la femme.

— Je le connaissais, chuchota Vera. C'est un Allemand. Elle est tchèque. A moins de crime politique, Bürger lui-même doit se montrer prudent à l'égard des Allemands.

Finalement, les soldats distribuèrent les cartes numérotées prises dans les caisses posées près de la petite table. Chaque groupe en reçut un paquet.

Les cartes passèrent de main en main. Elles pendaient au cou des individus comme des pancartes. A présent, les Allemands étaient en mesure de reconnaître les prisonniers.

Mais ce n'était pas fini. Maintenant, chacun devait être appelé à la table suivant son matricule et présenter ses papiers.

— Soyez patient et pour l'amour de Dieu, ne tentez rien, dit Vera.

— Mais pourquoi cette nouvelle vérification ?

— Si quelqu'un est absent, ils fouilleront le camp jusqu'à ce qu'il soit retrouvé.

— Grand Dieu !

Vera ne parut pas l'entendre. Elle venait d'apercevoir l'une de ses filles, de l'autre côté de la cour. Elle prit le risque d'esquisser un geste. Son élève remua légèrement les doigts.

Etrange, le calme qui régnait là.

On appelait les matricules. Les prisonniers s'approchaient par groupes de vingt. Chacun courait dès qu'il avait entendu son numéro. Il s'immobilisait devant la table. Les vieux hors d'haleine, les jeunes en proie à la peur. On leur donnait ordre de poser leur balluchon à terre et un soldat le fouillait du bout d'un bâton, afin de s'assurer qu'on n'y avait rien caché.

Evidemment, les ballots recelaient nombre d'objets prohibés. Ceux-ci étaient confisqués. On ajoutait une note à côté du nom de la personne à laquelle on disait : « Cela vous sera rendu après la guerre. »

La liste comportait une double colonne. D'un côté, était écrit le nom, désigné par le Conseil des Anciens, suivi d'un numéro de rue ou de bâtiment. De l'autre, figurait le matricule affecté à la personne et pendu à son cou.

— Papiers ?

L'homme qui se présentait devant la table devait avoir dans les cinquante ans. Il était très nerveux. Il se fouilla et tira une carte d'identité dont la photo portait un timbre noir JUIF.

Le caporal prit les papiers de la main tremblante de l'homme. Le soldat fouilla de son bâton le balluchon posé sur les pavés.

— Qu'est-ce que c'est que ça ?

Du bout de son bâton, il écarta un morceau de métal lourd, terne, un peu plus gros qu'une cacahouète.

— C'est à moi. Je l'ai depuis des années. Une espèce de fétiche.

— Un fétiche, hein ? grommela l'aide de camp qui venait de s'avancer.

Il le ramassa. Tirant un canif de sa poche, le soldat se mit à gratter l'objet. Le métal brilla.

— Où avez-vous eu ça ? demanda l'aide de camp.

Un silence suivit.

— J'étais affecté à la morgue.

— Et alors ?

— Ça provient des dents.

— Vous avez dépouillé vos morts, des Juifs ? commenta Bürger qui contemplait la scène du haut de sa caisse.

— Les Anciens... étaient au courant. Ça se faisait couramment, depuis des mois.

— Les Anciens étaient au courant ?

— Oui, monsieur... Prenez-le, Herr Kommandant... Tenez, c'est à vous.

Les yeux de Bürger rencontrèrent ceux de l'homme. Puis, l'officier se retourna, passa en revue tous ces visages qui se défaisaient. Trois mille soixante-sept. Le convoi le plus important qui eût jamais quitté Terezin.

— Que devons-nous faire de lui ? s'enquit l'aide de camp.

Les yeux de Bürger continuaient à considérer la foule. S'il ne les embarquait pas tous rapidement, il y aurait quelques cadavres par-ci, par-là.

— Oh, rendez-lui son or, dit-il sans se retourner. Je m'en lave les mains. Si le Conseil des Anciens ne l'a pas puni pour un crime commis contre sa propre race, pourquoi m'en mêlerais-je ?

Une lueur de gratitude brilla dans les yeux de l'homme. Il retourna prendre place dans le rang et avec son groupe, il franchit le portail au pas de course.

Tous les membres de la section d'Antonin furent appelés ensemble. Il marcha à leur tête, leur imprimant sa cadence afin qu'ils ne courent pas. Il ralentit légèrement en passant à la hauteur du jeune Danois et dit :

— Je suis avec vous.

Puis, il continua.

Mais avant d'atteindre la table, il sentit qu'une main se glissait dans la sienne... Tout d'abord, il crut qu'il s'agissait de celle de Samuel. Puis il s'aperçut que c'était la main d'un garçon faisant partie d'un autre groupe devant lequel ils passaient. Une telle foule se pressait dans la cour qu'il eut à peine le temps de distinguer les traits du gamin. Quand les doigts le lâchèrent, il sentit quelque chose dans sa paume. Sa montre.

Antonin regarda par-dessus son épaule et vit seulement une main qui lui adressait un signe.

Ils étaient devant la table. Les formalités concernant les enfants furent rapides. Ils étaient déjà des matricules. Vera avait encore un nom, le docteur aussi. Tandis que leurs numéros étaient enregistrés, ils remettaient leurs papiers qui étaient placés dans des dossiers rangés dans de petites boîtes qui accompagneraient le convoi dans un wagon spécial. Le caporal installé au bureau rayait alors le nom, le numéro de la rue et le matricule. Ainsi, la personne était à jamais effacée des registres de Terezin. Ou tout au moins, c'est ce que croyaient les Allemands. Mais il n'existe pas de procédure parfaite, sans faille. Le Conseil des Anciens conservait une copie de chaque liste et, après le départ des convois, l'enterrait dans un tuyau d'évacuation sous les pommiers qui poussaient sur la pelouse du Lagerkommandant.

— Papiers ?

Antonin baissa les yeux sur la tête du caporal dont le bonnet de police ne parvenait pas à dissimuler la calvitie.

— Je n'en ai pas.

— Papiers !

Antonin en était certain à présent. La mise en condition. Il supputait même la question qui suivrait. Comment réagirait l'homme ? La situation n'était pas prévue dans son manuel. Comme un vendeur dont le baratin a été interrompu par un client intelligent, le

166

caporal le considéra d'un air déconcerté, puis il baissa les yeux.

— Pas de papiers ? demanda-t-il lentement en commençant à écrire.

— Ne portez pas ça ! aboya le sergent.

Antonin se mit à rire.

— *Halt's Maul !*

Antonin remarqua que Bürger se refusait obstinément à regarder dans sa direction.

— Mon commandant, cet homme prétend qu'il n'a pas de papiers, exposa le sergent.

Bürger ne dit mot.

— Mon commandant...

— Ah, finissons-en, espèce d'imbécile ! Mettez n'importe quoi. Ecrivez : papiers reçus, et ça ira comme ça. Tout le monde doit être sur le quai à 14 heures. (Il détourna la tête presque assez pour rencontrer le regard d'Antonin.) Et qu'il soit autorisé à conserver son violon. C'est un ordre !

— Oui, mon commandant.

Antonin continuait à rire.

Bürger ne put y résister. Il se tourna. Leurs regards se rencontrèrent.

— La parole d'un officier allemand ?

— Emmenez-le.

Deux gardes se précipitèrent et prirent Antonin sous les aisselles.

— La parole d'un officier allemand ! cria Antonin.

Son cri ne fut entendu que par les plus proches de ceux qui attendaient, en rangs, d'être embarqués dans les wagons qui s'étiraient sur presque toute la longueur de la rue.

Une fois sorti de la cour et face au train, ce n'était pas si terrible. On en avait au moins fini avec les formalités.

La rue était étroite, comme toutes les rues de Terezin. La voie de chemin de fer, encastrée dans la chaussée, s'étirait sur plusieurs centaines de mètres ; de l'autre côté, elle faisait un coude sur la gauche, avant de disparaître à proximité du portail.

Un soldat entraîna Antonin vers l'arrière du convoi. Chaque wagon de marchandises ne comportait qu'une petite grille d'aération de cinquante centimètres carrés ménagée dans la partie supérieure de la porte. Les panneaux, largement ouverts, laissaient voir un plancher recouvert de paille et un grand seau d'eau. Les rampes d'accès habituelles étaient flanquées de planches supplémentaires.

Sur le quai d'embarquement, les langues se déliaient. Des soldats montaient la garde à chaque intersection de rues et aux extrémités du train. Certains étaient des S.S., mais la plupart appartenaient à la compagnie du génie. Quelques hommes patrouillaient sur toute la longueur du convoi pour s'assurer que personne ne montait dans les wagons et, à l'occasion, pourchassaient des gosses particulièrement turbulents qui s'étaient glissés sur les rails.

Des enfants jouaient à la marelle sur la chaussée. Deux jeunes filles s'étreignaient, s'embrassaient ; manifestement, elles avaient été affectées à des wagons différents. Un homme massif, au cou de taureau, se campait devant son balluchon et jetait des regards furieux à ceux qui défilaient devant lui.

Quatre jeunes gens bavardaient ; l'un d'eux frappait le pavé de coups de talon nonchalants. Un autre membre du groupe riait. Le soulagement. L'un d'eux désigna une fille à quelques mètres de là et tous éclatèrent de rire.

Puis, vinrent encore des enfants. Plus jeunes cette fois, et qui traçaient des lignes dans la terre du bout d'un bâton. Accroupis sur les talons, ils participaient à un jeu infiniment plus sérieux que celui auquel ils étaient mêlés. Non loin de là, une vieille femme était assise sur une valise défoncée. Comment avait-elle réussi à franchir la « douane » avec ça ? se demanda Antonin. D'ailleurs, comment était-elle parvenue à la traîner jusque-là ? Partout, du mouvement, de la précipitation, et une sorte de surexcitation.

Antonin et son groupe arrivèrent à mi-hauteur du convoi. Le docteur fermait la marche et parlait constamment aux enfants tandis que Vera avançait au centre, tenant Samuel et une petite fille par la main. Tous enjambaient les balluchons et les gens qui attendaient, étendus sur le sol.

— Juifs ! Révoltez-vous ! Tuez-les !

Le cri retentit avec force. Tout proche. Antonin tourna la tête. Un homme d'une quarantaine d'années, aux yeux profondément enfoncés dans les orbites et au menton volontaire, criait à tue-tête.

Lorsqu'il se précipita sur le garde qui passait juste devant Antonin, deux de ses camarades lui emboîtèrent le pas. Aucun des trois assaillants n'était armé, mais le S.S. fut totalement pris par surprise. L'homme le frappa à la poitrine, le repoussant contre le wagon. Sa main gauche se tendit, essaya d'arracher la mitraillette. Celle-ci était retenue par sa courroie au cou du garde.

Les quatre jeunes gens abandonnèrent leur allure nonchalante et se ruèrent à la rescousse. L'homme maintenait le S.S. contre le wagon. Une certaine confusion suivit. Les plus vieux reculaient vers le mur, les mères appelaient leurs enfants.

Le soldat avait peur. Les yeux exorbités, il essayait d'appeler à l'aide. Antonin reconnut en lui le jeune S.S. auquel il avait fait des grimaces dans la cour.

La main droite de l'assaillant s'enfonçait sous le menton du soldat, les jointures blanchies étreignaient la trachée artère.

— Vera, éloignez les enfants ! cria Antonin.

Les gosses commencèrent à s'éloigner en courant. Vera le saisit par le bras.

— Venez. Ne vous en mêlez pas.

Il semblait que tout le monde criait maintenant. Et Vera lui tirait le bras avec une force dont il ne l'eût jamais crue capable.

— Juifs ! Révoltez-vous ! Tuez ! scandaient des voix sans cesse plus nombreuses.

Tandis que Vera essayait de l'entraîner, Antonin aperçut Bürger qui émergeait de sous l'arcade, flanqué de deux hommes.

Il se libéra de la main de Vera, mais elle le reprit par le bras. Ils se trouvaient à une dizaine de mètres de la mêlée. L'homme continuait à étrangler le soldat mais la mitraillette restait retenue à l'épaule du garde. L'un des assaillants essaya de la retourner pour la braquer sur les S.S. qui arrivaient à la rescousse.

Bürger cria un ordre. Antonin vit le jeune Danois saisir la crosse de la mitraillette du garde et lui en assener un coup. L'Allemand glissa le long du wagon et s'effondra, la tête affaissée contre la poitrine.

Le Danois lui arracha la mitraillette de l'épaule et la braqua sur Bürger.

Des coups de feu crépitèrent. Quand Antonin rouvrit les yeux, il vit le jeune Danois mort, le dos ensanglanté ; il gisait en travers du garde au cou rompu.

Tout fut terminé en deux secondes. L'Allemand, qui avait abattu le Danois et sauvé la vie de Bürger, se trouvait sur le toit du wagon de marchandises. Il se dressait encore à la même place, l'arme braquée, comme s'il n'en croyait pas ses yeux.

On aligna contre le mur, à côté de la voûte, les trois autres jeunes gens, l'homme au teint basané, aux yeux profondément enfoncés dans les orbites, et une jeune fille prise au hasard. Puis, les soldats reculèrent, braquèrent leurs armes et tirèrent sans interruption jusqu'à ce que les coups de feu eussent empli les oreilles de tous. Les crépitements se prolongèrent pendant plusieurs minutes bien que les corps écroulés eussent pratiquement été vidés de leur sang.

Une ordonnance apporta un seau de sciure et de la paille prise dans un wagon pour pomper le sang afin que les gardes ne risquent pas de glisser.

Bürger se dressait dans l'encadrement de la porte d'un wagon à mi-hauteur du convoi. Antonin pouvait presque lui toucher le pied. Mais il avait peur maintenant. Quelques instants plus tôt, il aurait tenté de le jeter à terre.

— Est-ce que quelqu'un d'autre veut faire l'imbécile ? cria l'officier dans un mégaphone. J'espère que cela vous servira de leçon. Deux remplaçants supplémentaires feront partie du convoi. Caporal, allez m'en chercher deux dans la rue et ramenez-les, que nous puissions commencer le chargement.

Il descendit du wagon. Son pied heurta la poitrine d'Antonin lorsqu'il sauta de la rampe d'embarquement.

— On n'échappe pas à la réalité, Karas. Vous apprendrez à l'accepter, grommela-t-il en s'éloignant.

Antonin émergea de sa stupeur à la vue de deux enfants qui se querellaient pour une pierre que l'un d'eux venait de trouver sous un wagon. Il jeta un regard alentour. Tout était redevenu normal. Les gosses jouaient. Une vieille femme égrenait un chapelet. Un Juif

171

hollandais psalmodiait les yeux fermés, se balançant d'avant en arrière. Des femmes allaient et venaient ; elles poussaient de petits chariots avec des bébés et retournaient à leur place devant le wagon qui leur avait été assigné.

— Ça va ? demanda Vera.

— Oui.

— Alors, laissez-moi panser votre main.

Antonin baissa les yeux. Sa main gauche était couverte de sang.

— Ce n'est qu'une égratignure. Tout d'abord, j'ai cru que la balle vous avait atteint en pleine poitrine. Elle a dû dévier sur votre poignet.

Il la regarda.

— Personne d'autre n'a été touché ?

— Pas dans notre groupe, dit-elle.

— Dans quel groupe alors ?

— Jana, une fillette de ma classe. C'est elle qui a été fusillée.

Les remplaçants venaient d'arriver.

— Vous voyez ce que je vous disais ? Envisagez-vous encore une effusion de sang ?

— Il n'y en aura pas. Mais cela m'a encore raffermi dans ma résolution.

Antonin laissa errer son regard vers l'arcade. Un vieillard remontait le rang. Il marchait avec une telle détermination qu'il exerçait une sorte de fascination sur Antonin.

Vera lui avait attaché un chiffon autour de la main. La blessure commençait à être douloureuse.

— Voilà la balle. Vous voulez la garder en souvenir ? demanda-t-elle en riant.

Elle avait extrait le projectile de la porte du wagon à l'aide d'une pierre pointue.

— Je la prends. Elle pourra me servir.

Le vieillard n'était plus qu'à quelques pas. Il s'arrêta. Un S.S. le repoussa. Visiblement, l'homme essayait de se

172

rapprocher d'un groupe de cinq personnes qui s'entretenaient à mi-voix.

Le S.S. repoussa une deuxième fois le vieillard, mais celui-ci avança de nouveau dès que le garde se fut éloigné.

Il s'inclina légèrement devant le petit groupe. Ceux qui le composaient s'écartèrent et se tournèrent vers le nouveau venu. Dans le brouhaha ambiant, Antonin ne put distinguer aucune des paroles échangées.

— Nous ferions bien de nous rapprocher du wagon qui nous a été assigné avant que de nouveaux incidents éclatent, dit Vera.

— Attendez. Que fait-il ?

— Le vieil homme ?

— Oui. A qui fait-il des courbettes ? Qui sont ces gens ?

— Je ne le connais pas. Mais il est possible que l'un de ces hommes lui ait sauvé la vie et qu'il tienne à le remercier avant le départ. A moins qu'il veuille simplement connaître un membre du groupe. Les gens agissent de façon bizarre dans des circonstances pareilles.

— Pourquoi souhaiterait-il faire leur connaissance ?

— Ce sont des célébrités.

— Quel genre de célébrités ?

— L'homme au bout, là-bas, est un chirurgien renommé de Brno. A côté de lui, se trouve Hemkel...

— Le violoniste ?

— Lui-même.

— Grand Dieu !

— Celui qui est derrière lui... aussi incroyable que ça puisse paraître, a, d'après ce qu'on dit, été ministre en France. Et... voyons... oui, le grand à l'allure fière...

— Celui qui porte une médaille ?

— Oui, celui qui porte une médaille. Il a été général dans l'armée allemande. C'est un prisonnier politique. Nous en comptons quelques-uns.

— Hemkel... marmonna Antonin.

Vera le tirait par la manche. Elle l'entraînait vers les

enfants que le docteur avait conduits devant le wagon numéro 48.

Après quoi, tout se déroula très rapidement et en bon ordre. Les femmes et les enfants montèrent en premier dans les wagons, aidés par les hommes. Puis, les vieux suivirent.

Et ce fut le tour des jeunes.

La dernière personne à laquelle Antonin adressa la parole sur le quai fut un jeune homme qui s'apprêtait à monter dans le wagon suivant. Il cria quelques mots à Antonin ; celui-ci crut d'abord qu'une autre révolte allait se produire et il gravit rapidement la rampe d'embarquement. Puis il reconnut la voix.

C'était Pavel.

— M. Karas, j'ai appris que vous étiez ici, mais je n'ai pas pu vous trouver.

— Je ne savais pas...

— J'ai été pris deux jours après ma visite chez vous. Je suis arrivé ici peu après vous.

— Pourquoi ?

— Ces faux papiers. Dites, M. Karas. Vous savez, on en parle partout.

— De quoi ?

— Que vous êtes venu ici... en tant que volontaire... pour monter un spectacle.

— Je ne vous entends pas !

— Tout le monde vous considère comme la tête d'affiche ! cria Pavel tandis qu'un garde le poussait à l'intérieur du wagon.

Antonin pénétra dans la tiédeur du fourgon ; il s'aperçut que le docteur, organisateur-né, avait déjà divisé les enfants en deux groupes. L'un qui s'assiérait pendant une demi-heure pendant que l'autre se tiendrait debout.

Du seuil, Antonin promena un regard circulaire à l'intérieur du wagon, considérant chacun des visages. Il sourit à Vera et effleura sa main bandée. Il était fier de sa blessure, et fier de ce qu'avait dit Pavel, le pauvre diable.

Brusquement, la porte coulissa derrière lui et chacun garda le silence jusqu'à ce que les yeux se fussent habitués à l'obscurité. Puis, un enfant gloussa et tous se mirent à rire.

Le rire dura longtemps.

A l'extérieur, Bürger marchait le long du convoi, flanqué de son aide de camp ; il traçait à la craie un signe sur chaque wagon, sa destination en code.

Seul, Bürger connaissait le code. Et pour lui, il s'agissait seulement d'un point sur la carte. Un point nommé Auschwitz.

39

Le train s'ébranla sans même que ses occupants en eussent conscience. Les hommes appartenant au génie avaient placé les deux locomotives en tête du convoi sur une légère déclivité et il leur avait suffi de libérer les freins pour que la file de fourgons se mît en marche. En quelques minutes, le train avait franchi le portail qui se referma derrière lui. Derrière cinquante wagons.

Bürger et son aide de camp regagnèrent la cour, suivis du berger allemand.

Rien sur les pavés, sinon le sang des prisonniers fusillés. Le corps du S.S. étranglé avait été transporté à la morgue.

Les deux officiers avancèrent en silence dans la cour. La neige avait fondu. La table avait été enlevée. Ainsi que les objets confisqués. Tout au moins, ceux qui avaient quelque valeur. Le reste reposait dans un châle ressemblant au tumulus d'une tombe, non loin de l'endroit où avait été la table. Un chapeau d'homme flottait à la surface d'une flaque d'eau et des restes de neige poudreuse le recouvraient. Les pigeons étaient revenus. Ils cherchaient des miettes de pain entre les pavés.

Bürger heurta quelque chose de sa botte. Il retourna l'objet du pied et se baissa pour le ramasser. C'était la montre d'Antonin. Dans sa hâte, celui-ci avait oublié que la poche où il l'avait glissée était trouée. N'importe comment, on la lui aurait probablement encore volée.

Les bottes des officiers soulevaient un écho dans la cour vide. Ils entendirent un sifflet déjà lointain. Le convoi de Terezin venait d'atteindre la grande ligne.

Et un autre télégramme attendait sur le bureau de Bürger.

40

L'obscurité était comme un édredon bleu. Elle recouvrait doucement le wagon, dispensant une certaine chaleur tandis que le train cahotait sur la voie inégale.

Personne ne dormait. Le docteur soigna la blessure d'une petite fille qui s'était coupé la main en grimpant dans le wagon. Traitement plus symbolique que médical.

Dans un coin, deux garçons se querellaient, chacun prétendant que c'était à lui de s'asseoir. Vera trancha. Antonin en fut heureux. Autour de lui, garçons et filles lui paraissaient d'une passivité inhabituelle et il se sentait las.

La petite ouverture grillagée, tout en haut de la porte, laissait filtrer bien peu d'air et encore moins de clair de lune. Mais la lueur était suffisante pour permettre de distinguer le seau d'eau. Les yeux fatigués d'Antonin étaient fascinés par le mouvement du liquide ondoyant quand le train prenait de la vitesse sur les rares lignes droites.

Son unique bien, son violon, reposait dans la boîte noire calée entre ses pieds. Il appuyait les coudes sur le dessus, le menton niché au creux de ses mains. L'un des enfants le vit ainsi et se mit à rire. Le gamin poussa son camarade du coude et un gloussement se répandit dans le wagon, arrachant Antonin à sa rêverie.

— Monsieur, vous ne voulez pas nous jouer un air sur votre violon, s'il vous plaît ?

Le violon ? Antonin l'avait presque oublié. Il le transportait depuis si longtemps qu'il était devenu partie intégrante de lui-même. La seule pensée d'en jouer l'accabla.

— Je vous en prie, monsieur. Un peu de musique.

Antonin pensa à Hemkel. Les Allemands lui avaient-ils laissé son violon ? Quelles raisons pouvaient-ils bien avoir pour interner Hemkel ? N'avaient-ils pas souhaité utiliser son talent pour relever le moral des troupes et de leurs collaborateurs ? C'était de la folie.

— Musique ! Musique ! Musique !

Les enfants scandaient le mot en tapant dans leurs mains. Son public attendait. Il ne fallait pas le décevoir. Il susciterait quelques rires pendant qu'il se livrerait à des pitreries en accordant l'instrument, et cela lui permettrait de rassembler l'énergie nécessaire. Où pouvait-on puiser de l'énergie ? Le masque ferait-il son œuvre ? Il pinça une corde dont il tira un son équivoque. Il tint le violon à bout de bras et recommença. Il mima l'étonnement. Il plaqua l'oreille à l'instrument, renouvela son geste et sursauta en entendant une note discordante.

— Il va nous faire des blagues. Des trucs rigolos, pas de musique !

— Pas de musique. Il fait nuit.

— Des blagues nous réveilleront.

— Faites-nous rire. S'il vous plaît, M. Karas. Faites nous rire !

Antonin égrena quelques mesures, histoire de se donner le temps de reprendre ses esprits. Des blagues ? Après ce qui venait de se produire et devant l'incertitude de leur sort ? Des plaisanteries ? Puis, il se rappela le visage du jeune soldat allemand. Même lui avait souri. Quel moment serait mieux choisi pour faire des blagues ?

— Entendu. Mais d'abord, un peu de musique

sérieuse. Je veux que vous m'écoutiez tous très attentivement.

Il entrevit Vera qui, dans la pénombre, enjambait les enfants pour venir vers lui. Il se sentit rasséréné à l'idée qu'elle serait auprès de lui pendant son numéro.

— C'est très sérieux. Combien d'entre vous peuvent voir mon violon ? demanda-t-il en tenant l'instrument à bout de bras de sorte que la faible lumière de la lucarne l'atteignait.

— Moi, je le vois !

— Moi aussi.

— Je ne le vois pas. Jan, c'est ta tête qui me gêne.

— La tête de Jan vous bouche toujours la vue. Elle est grosse comme un sac de patates.

— Eh, Jan ! Mets donc ta tête sous ton bras ! lança Antonin.

Le violon paraissait suspendu à un rayon de lune. C'est un bon effet, pensa-t-il. Je me demande si je pourrais obtenir le même résultat avec un projecteur.

Le violon émit quelques notes. Antonin fit pivoter l'instrument dans un rayon de lumière afin de montrer qu'aucun archet ne frottait les cordes. Il jouait un air de Fra Diavolo. De la magie.

Le train tangua. Une fausse note monta du violon. Les rires fusèrent.

— Comment est-ce qu'il fait ?

— Il a un autre violon.

— Non. Son archet joue sur le dos.

Antonin fit de nouveau pivoter l'instrument afin de montrer qu'il n'existait ni corde ni archet au dos du violon.

— Il y a un moteur. Un mécanisme quelconque.

— Il faut bien que ça vienne de quelque part.

La musique s'arrêta. En vérité, Antonin devait reprendre son souffle. A combien d'années cela remontait-il ? Quelle importance ? Il s'était souvenu. Replier la langue dans la bouche et utiliser les lèvres en guise de clavier. Le tout était une question de ton. Il fallait

180

imiter le son du violon et projeter sa voix pour qu'elle semble provenir de l'instrument.

Les enfants applaudissaient. Il se mit à jouer normalement. Un air folklorique, doux et chaleureux. Des regards ensommeillés se levèrent vers lui. La petite fille au doigt bandé se frottait les yeux. Un bâillement vint de l'endroit où les deux garçons s'étaient querellés.

La fin du morceau ne souleva que quelques applaudissements clairsemés. Antonin les avait doucement conduits au sommeil.

— Je crois que ça a marché, dit-il à Vera.

— La journée a été longue. J'espère que la nuit le sera aussi.

Le docteur tirait Antonin par la manche.

— Je pense que tous pourraient se reposer en même temps si nous les faisions asseoir dos à dos. Qu'en dites-vous ?

Déjà, sans même attendre une réponse, il se redressait pour prendre les dispositions nécessaires. Ses mouvements rapides, énergiques, étonnaient Antonin.

Nombre de gosses durent être éveillés et la patience quasi inépuisable du médecin fut mise à rude épreuve.

— Oh, laissez-moi tranquille !

— Qu'on me fiche la paix !

En un geste de protestation, un bras l'atteignit au visage. Mais l'homme continuait, impassible, écartant la paille, déplaçant le seau d'eau d'un endroit à un autre, cherchant à gagner de la place.

Finalement, il obtint le résultat escompté, ou tout au moins le crut-il. Au centre, un groupe de garçons avait investi l'endroit où s'était trouvé le seau et ils s'agglutinaient, têtes baissées.

— Il est difficile de se faire comprendre, mais ce sont de braves gosses. Qu'est-ce qu'ils manigancent ? dit le docteur en désignant les gamins étroitement rapprochés.

— Ils jouent peut-être aux dés, plaisanta Antonin.

— Oui, ce doit être quelque chose comme ça, répliqua

le docteur chez qui l'intense intérêt qu'il prenait à résoudre les problèmes immédiats supplantait souvent le sens de l'humour.

— Vous n'en avez pas encore terminé, toubib, fit Antonin.

— Comment ? Je vous demande pardon, Karas ?

— Que faites-vous de Vera et de moi ?

— Oh, ça c'est un problème ! Eh bien... voyons.

— Docteur, ne vous inquiétez pas. Toni plaisantait.

— Oui, bien sûr, murmura le médecin avec un petit rire.

Le rythme du train devenait régulier. Il était impossible de voir par l'ouverture qui se trouvait trop haut mais, de temps à autre, on devinait qu'on passait par un tunnel ou sur une intersection de voies.

L'élaboration d'un quelconque plan d'évasion hantait toujours Antonin, bien qu'après l'échec de la révolte du quai il eût quelque peu perdu confiance. Il examina le wagon. Celui-ci était solidement construit. Il comportait une petite bouche de ventilation dans le toit, mais elle était trop étroite pour qu'on pût seulement y passer la main. Des barreaux défendaient l'ouverture pratiquée dans le haut de la porte et, d'ailleurs, le plus petit des enfants n'aurait pu s'y glisser... et s'y glisser pour quoi faire ? Le plancher était en chêne et la porte vraisemblablement verrouillée par les soins des soldats du génie.

Si le train s'arrêtait quelque part, il pouvait crier. Peut-être des hommes de la résistance entendraient-ils parler du convoi et essayeraient-ils de les sauver. S'ils se dirigeaient vers la frontière orientale de la Tchécoslovaquie, il y avait des centaines d'hommes qui se cachaient dans les bois, parmi eux des déserteurs allemands. Ils étaient une source constante d'inquiétude pour le Troisième Reich : ils allumaient des feux pour guider les avions alliés vers des points de parachutage de matériel, ils attaquaient des patrouilles isolées, et de temps à autre, ils accomplissaient quelque exploit dans une ville

182

importante afin de soutenir le moral de la population. Ils avaient contribué à organiser l'assassinat du Reichsprotektor Heydrich aux environs de Prague, acte qui avait eu pour conséquence le massacre des habitants de Lidice.

— A quoi pensez-vous ? lui demanda Vera. Je vous observe depuis un moment. A voir les frémissements de votre visage, on dirait un renard qui prend le vent.

— Mon visage ne frémit jamais.

— Si, quand vous vous concentrez.

— Non.

— Et moi je vous dis que si. On dirait vraiment un renard.

— Eh bien, je ne m'en suis jamais rendu compte. Je me demandais quelle était notre destination.

— Nous le saurons en y arrivant.

Elle laissa passer un temps, puis glissa sa main dans celle d'Antonin.

— Ça vous vexe de vous entendre dire que vous avez l'air d'un renard ?

— Ça m'aurait vexé il y a quelques semaines. J'aurais été affreusement blessé, dit-il en riant. Maintenant, ça me fait plaisir. Cela signifie que quelqu'un fait attention à moi. (Il changea vivement de sujet.) Est-ce Samuel, là, au centre ? On dirait qu'il est en train de comploter.

— Oui, avec Heinrich et Jan.

— Si je le hissais jusqu'à l'ouverture, nous saurions peut-être où nous nous trouvons.

Antonin se pencha et tapa sur l'épaule de Samuel. Les yeux du gamin se rivèrent sur lui avec intensité.

— Samuel, j'ai besoin de ton aide.

— J'ai besoin de votre aide aussi, M. Karas, dit Samuel en se levant. Vous voyez cette ouverture ? Je voudrais regarder à travers. Heinrich fait le compte du nombre de rails que nous avons passés. Il n'est pas très fort en calcul mais il s'y connaît en chemin de fer. Son père était mécanicien sur une locomotive, et il est très calé sur tout ce qui concerne les trains. Il dit que chaque longueur de rail mesure environ quinze mètres. Nous en avons passé plus de quatre mille, ce qui fait que nous avons parcouru environ soixante kilomètres... si on estime notre moyenne à cinquante kilomètres à l'heure.

L'ingéniosité de l'enfant stupéfia Antonin.

— Je vous en prie, monsieur. Soulevez-moi jusqu'à la fenêtre.

Antonin se pencha et aida Samuel à passer au-dessus des gosses endormis.

— Nous descendons une pente ! avertit Heinrich. J'ai entendu qu'on baissait la vapeur. Regarde si tu vois des lumières.

Antonin se planta sous l'ouverture et souleva Samuel jusqu'à la grille. L'enfant s'y agrippa des deux mains et pressa le front contre les barreaux.

— Il fait drôlement froid.

Un instant, il se tut.

— Je ne vois rien du tout.

— Sur ta droite... Regarde plus bas sur ta droite.

Les bras d'Antonin tremblaient sous l'effort.

— Tenez bon, M. Karas ! Oui, maintenant, je vois... Oui, des lumières. Quelques lumières... Une rivière, une grande rivière. Juste devant nous.

— Parfait. Tu peux descendre maintenant.

Antonin posa l'enfant.

— Des lumières ? s'enquit Vera. Prague ?

Mais les gosses ne répondirent pas. Surexcité, Samuel avait déjà rejoint le groupe au centre du wagon.

— Dès qu'on aura passé le pont... on s'en rendra compte au bruit des roues... nous serons sur la berge est de la Moldau, expliqua Heinrich. Autrement dit, nous serons à Prague.

— Tu es tchèque ? lui demanda Vera.

— Non, répondit Heinrich. Mais j'avais l'habitude de suivre les voyages de mon père sur les cartes qu'il me prêtait. Il me racontait tout sur les endroits où il allait.

184

Où il s'arrêtait pour la nuit, où il refaisait le charbon, les emplacements des aiguillages et des tas de choses comme ça.

— Et tu te souviens de tout ?

— Oui, de presque tout, assura Heinrich qui se mit à déboutonner sa chemise. Si nous approchons de la rive est, il y a des chances pour qu'on nous mette sur une voie de garage qui se trouve à environ trois kilomètres du pont et où nous referons le charbon...

Antonin était fasciné. Il se pencha pour mieux voir Heinrich dont la main montait vers son aisselle.

Il tira de sous son bras une boussole.

Il la posa sur le plancher après avoir écarté la paille pour qu'elle fût bien de niveau.

— Depuis combien de temps as-tu ça ? demanda Antonin.

— Je l'ai gardée cachée sous le bras depuis que nous sommes partis de chez nous.

Antonin eut le sentiment d'interrompre quelque chose d'important et jugea qu'il serait préférable de garder le silence. Un intense effort de concentration se lisait sur le visage des enfants.

— Quand nous quitterons la voie de garage, il faudra écouter attentivement. Si le train tourne à gauche, nous partirons pour l'Allemagne. S'il tourne à droite, ce sera pour traverser la Tchécoslovaquie en direction de la frontière polonaise. (Il glissa la boussole sous son aisselle et reboutonna sa chemise.) D'après moi, nous roulons vers la Pologne. Nous allons arriver au pont d'une minute à l'autre. Ces locomotives sont des 456 ; elles sont capables de marcher à quatre-vingts kilomètres à l'heure, mais le train est très chargé et il faut compter une moyenne de cinquante.

Heinrich épousseta les fétus de paille qui lui collaient aux doigts et s'assit.

— On ferait bien de suivre les ordres du docteur, dit-il en jetant un coup d'œil par-dessus son épaule au médecin qui dormait debout.

Les autres gamins s'assirent.

— Vous êtes des garçons très intelligents, constata Antonin. Toutes mes félicitations.

— Monsieur... ?

— Oui, Heinrich ?

La voix était de nouveau celle d'un enfant. Auparavant — quand il avait été question de choses sérieuses — elle avait eu des intonations d'adulte.

— Monsieur, est-ce que c'est dur de monter sur les planches ?

— Vous devriez l'entendre chanter, intervint Samuel. Il a une voix d'ange.

— Une voix d'ange, mon cul, coupa Jan. On dirait plutôt une corne de brume.

— En tout cas, elle est forte.

— Eh bien, il peut chanter comme un ange dans la brume, dit Antonin. Oui, il est difficile de se destiner aux planches, mais on arrive à tout quand on le veut vraiment.

Un son métallique monta des roues lorsque le train s'engagea sur le pont.

— Bon Dieu, tu avais raison ! s'écria Jan.

— On va compter les longueurs de rail jusqu'à ce qu'on atteigne la voie de garage pour voir si Heinrich ne se trompe pas.

Antonin se redressa et, d'un bond, gagna la porte. Prague ! Ils allaient traverser Prague. Il connaissait la ligne.

Il faut que je voie ! Il faut que je voie Prague, se dit-il. Il s'accrocha à la porte, cherchant à se hausser jusqu'à l'ouverture. Ses doigts lâchèrent prise, il glissa. Il renouvela sa tentative avec désespoir. Les ongles de sa main gauche raclèrent le bois. Des échardes s'enfoncèrent dans sa chair. Il chercha une prise de la main droite. Sa chaussure ne trouvait pas la moindre saillie et, pendant une fraction de seconde, il demeura suspendu par la main gauche. Il sentit à peine la douleur, pris par l'excitation, la panique. Il sauta de nouveau,

186

espérant pouvoir agripper un barreau, mais il retomba et bouscula deux enfants endormis qui se mirent à pleurer.

— Qu'est-ce qui se passe ? demanda le docteur subitement tiré de son sommeil.

— Il faut que je voie... que je voie Prague !

— C'est stupide. Les gosses vont s'affoler. Laissez cette fenêtre, dit Vera.

Mais Antonin sauta encore. Sa main droite rencontra un clou, qui s'enfonça dans son petit doigt. Il se retourna, désespéré.

— Laissez-moi donc vous aider. A nous deux, avec le docteur, nous arriverons à vous soulever.

— Hein, quoi ? marmotta Antonin.

La douleur de ses blessures s'éveillait. Sa main gauche était couverte de sang et les échardes le lancinaient, enfoncées sous ses ongles.

— Non, non, excusez-moi, reprit-il. Je vais vous hisser, Vera. Vous aussi, vous voulez voir. Après tout, ça fait si longtemps... Non, j'insiste. Je vais vous soulever.

Le docteur calmait les enfants alarmés.

Vera s'avança et se tint devant Antonin, face à la porte. Elle leva les yeux vers la petite ouverture.

Antonin se cala le dos contre la paroi. Il porta les mains à la taille de la jeune fille dont la jupe remonta. Il renouvela sa tentative en la saisissant plus bas, sous les genoux. Elle parvint à agripper les barreaux.

Elle demeura ainsi quelques secondes. Antonin lui entourait les jambes de ses bras et son visage s'appuyait contre sa cuisse droite.

— Que voyez-vous ? murmura-t-il d'une voix rauque.

— La Moldau. Elle est grise. Le château est dans le noir ainsi que la plupart des rues. J'aperçois une lumière un peu plus loin... l'autre extrémité du pont.

— Voyez-vous vraiment la ville ? s'enquit le docteur.

Il s'avança pour aider Antonin. Celui-ci l'écarta.

— Oui. Ça ressemble à un monstre à long cou avec des cornes dans le dos.

187

— Mais les habitants ? Vous ne voyez personne ? demanda le docteur.

— Pas une âme.

— Il y a couvre-feu, dit Antonin.

— A vous deux de regarder maintenant, murmura Vera en commençant à descendre.

Elle se laissa doucement glisser. Ses pieds atteignirent le plancher et demeurèrent un instant à côté de ceux d'Antonin.

— Je préfère m'abstenir, dit le docteur. Merci quand même.

— Pourquoi ? s'étonna Vera.

— Il se trouve simplement que... je ne suis pas tchèque.

— Et vous, Toni ?

— Non. Du moment que vous avez vu...

— Ecoutez !

Heinrich cria presque tout en chuchotant.

Le train ralentissait. Il s'arrêta. Le convoi se trouvait sur une voie de garage.

— D'ailleurs, qu'y a-t-il à voir ? Les gares de triage se ressemblent toutes.

— En effet, approuva le docteur.

Antonin éprouvait un peu de ressentiment à l'égard du médecin sans qu'il pût s'expliquer pourquoi. Même cette remarque banale l'irritait. Pourquoi avait-il voulu l'aider à soutenir Vera ? Cet idiot croyait-il qu'il n'y parviendrait pas tout seul ?

Vera examinait les doigts d'Antonin et s'efforçait d'étancher le sang pour pouvoir retirer les échardes. Elle avait dissimulé une aiguille en os dans l'ourlet de sa robe, mais elle était épointée.

Au bout d'une demi-heure le train s'ébranla. Il partit en marche arrière sur une distance équivalente à la longueur du convoi puis, lentement, reprit sa progression en avant.

La plupart des enfants dormaient. Mais Samuel et ses amis restaient aux aguets. Dès que le convoi eut franchi

188

quelques centaines de mètres, il vira à droite. Un tournant aigu, que chacun sentit, et le grincement des roues sur les rails.

— La Pologne, dit tranquillement Samuel.

— Vous retournez chez vous, lança précipitamment Antonin.

— Nous allons en Pologne, mais pas chez nous.

Heinrich se passait la langue sur les lèvres. Jan écarta d'une pichenette un fétu de paille collé à sa narine. Puis Samuel reprit :

— En Pologne et vers la chambre à gaz.

Antonin observa le visage de l'enfant tout en mesurant son impuissance. Il le dévisageait encore quand Samuel finit par s'asseoir, blotti contre Heinrich, pour céder au sommeil. Antonin s'appuya contre la porte. Il avait les mains enflées, il était épuisé. Il jeta un regard circulaire sur le wagon endormi. Les enfants ressemblaient à de petites bêtes, pressées les unes contre les autres dans un terrier, engluées de sommeil.

Toutes ses pensées étaient occupées par le souvenir de l'odeur des cheveux de Vera quand il les avait effleurés alors qu'il la hissait vers l'ouverture.

41

Le soleil brillait. Un temps presque printanier, mais froid. Bürger se tenait sur le seuil de son quartier général, vêtu de la tenue qu'il jugeait adéquate : veste de tweed vert, pantalon de golf, chaussettes écossaises maintenues par des jarretières agrémentées de plumes de faisan, cravate de tricot. Il tenait à la bouche une pipe d'écume, mais elle était éteinte ; détail qui ne le préoccupait guère.

La sentinelle du portail venait de téléphoner pour annoncer l'arrivée de sept voitures. L'une d'elles serait occupée par Herr Eichmann et son aide de camp. La dernière devait être un véhicule d'escorte. Les cinq autres pouvaient transporter une vingtaine de personnes. Bürger était inquiet. Il faisait plus froid qu'il ne l'avait cru. Il ne possédait pas de pardessus civil et il ne tenait pas à gâcher son effet en endossant une capote militaire.

Voilà qu'il entendait les voitures. Tout avait été répété jusqu'aux moindres détails. Rien ne pouvait clocher. A 13 h 05, le premier véhicule apparut au tournant. Il avait attendu au poste de garde et ouvrait la marche ; Bürger eut un hochement de tête dans sa direction. Il esquissa un geste paternel à l'intention de son aide de camp assis à côté du chauffeur.

La deuxième voiture avait à son bord Herr Eichmann.

Il s'agissait, évidemment, d'une grosse Mercedes dont le bouchon de radiateur supportait une mince hampe argentée arborant le fanion du Troisième Reich. Les glaces, à l'épreuve des balles, ne reflétaient pas les rayons du soleil.

Herr Eichmann était plus grand qu'il ne l'avait imaginé. Le type du bureaucrate ou du banquier. Lunettes cerclées d'argent, cheveux grisonnants, lèvres minces et nez suspect.

Bürger remarqua la cape au moment où Eichmann descendait de voiture. Elle aussi était en Harris tweed, mais de coupe écossaise et non allemande, le genre de vêtement qu'affectionnent les Anglais habitant à la campagne.

Bürger eut un geste machinal qui lui causa une certaine gêne. Il commença à saluer. Mais lorsque sa main arriva à mi-hauteur de son épaule, il la tendit.

Le serrement de main d'Eichmann était mou. Les autres voitures venaient se ranger sur la place et un petit homme qui s'agitait beaucoup vint vers le Lager-kommandant. Georges Sussens.

Georges Sussens se montrait énergique, résolu. Il était accompagné de deux assistants, de trois membres de la Croix-Rouge suédoise, d'un Portugais, et de quatre femmes dont Bürger ne découvrit jamais la nationalité. La visite constituait un précédent. Il y avait deux ans que Bürger n'avait eu l'occasion de recevoir autant de dignitaires. Il laissa les présentations à sa fille, qui se tenait derrière lui, vêtue du costume national tchèque, une couronne de pâquerettes sur ses cheveux d'un blond pâle.

Les membres du Conseil des Anciens furent présentés à la délégation dans le hall. Le Dr. Hertzog serra la main de Sussens et échangea avec lui quelques banalités sur le temps. Les autres gardèrent le silence.

On passa immédiatement à table pour savourer un repas où se côtoyaient mouton rôti, pommes de terre et choux, produits locaux selon la fière remarque de Bürger.

— S'il y a une chose où nous excellons à Terezin, c'est bien la production de légumes verts, commenta Bürger. N'est-ce pas, Dr. Hertzog ?

Le docteur hocha la tête, tout en sachant que le mouton provenait des troupeaux volés à Lidice.

Du vin accompagnait le repas. Un délicieux cru morave, connu pour son goût de pierre à fusil et son bouquet. Mais la plupart des convives lui préférèrent la bière de Pilsen, très difficile à obtenir, dont les brasseries ne se trouvaient qu'à une trentaine de kilomètres de Terezin.

A 14 heures, après le repas, le programme de l'après-midi fut exposé par l'aide de camp de Bürger. Moins de risques ainsi. En cas d'anicroche quelconque, cette façon de procéder laissait une échappatoire au Lagerkommandant.

Dans le hall, comme pour souligner le caractère peu cérémonieux de la visite, la secrétaire tendit à Bürger une boîte plate ; elle contenait des bonbons.

Dehors, le soleil brillait toujours et l'équipe de cinéastes, dépêchés par le Propaganda Ministerium, était prête à filmer l'important événement : la visite des délégués de la Croix-Rouge lors de leur inspection du camp.

Toutes les boutiques entourant le square avaient été ouvertes et, conformément aux instructions, déambulaient ici et là ceux qui tenaient le rôle de gens heureux jouissant du jour de fête proclamé en l'honneur de la visite de la Croix-Rouge. Un jeune couple, exhibant des manteaux chauds et de bonnes chaussures, marchait bras dessus, bras dessous dans la rue principale et bavardait en riant. Une femme, munie d'un cabas à provisions entra dans la boulangerie et en ressortit bientôt (un peu trop tôt au gré de Bürger) avec une miche de pain blanc encore chaud.

Un vieil homme était assis sur un banc au centre de la

pelouse. On lui avait remis des croûtes de pain pour distribuer aux pigeons mais, affamé, il les avait mangées.

Une petite église baroque se dressait à l'extrémité du square. Les portes en étaient ouvertes et les équipes de camouflage avaient réussi à conférer une vénérable patine aux marches de l'entrée.

Bürger se détendit quelque peu et se mêla aux figurants. Il adressa un signe de la main à deux jeunes gens, qui, debout sur les marches de l'église, discutaient d'un magazine. Ils lui rendirent son salut.

Il sourit. Personne n'aurait pu reconnaître son employé de bureau, Hans Alsen et le caporal Joseph Weber, pas plus qu'eux-mêmes ne reconnaissaient les autres soldats allemands mêlés aux figurants.

Quelques musiciens occupaient le kiosque à musique et accordaient leurs instruments, arrivés en bon état de Prague, à l'exception d'un trombone bourré de ciment. Bürger avait désigné à celui qui en jouait une place à l'arrière afin que personne ne remarquât le silence de ce cuivre.

En quittant la place principale du camp, le Suisse Sussens interpella un couple de personnes d'âge mûr qui se promenaient dans la rue et leur demanda s'ils étaient satisfaits de leur sort.

— Nous sommes très satisfaits. Merci pour cette belle fête.

Avec un coup d'œil rapide en direction de la palissade verte qui les retranchait du reste du camp, Bürger entraîna la délégation dans l'école. Une véritable école, celle-là. Des pupitres avaient été trouvés et des cartes et des gravures ornaient les murs. La fille de Bürger s'avança entre les rangs d'enfants debout et caressa de la main les crânes rasés des garçons ; elle s'arrêta pour tourner les pages d'un cahier. S'apercevant qu'elles étaient vierges, elle le referma précipitamment.

Les enfants entonnèrent un chant traditionnel tchèque en l'honneur des visiteurs. Un air connu des Sudètes. Les petits chanteurs furent applaudis et chaudement félicités par Sussens.

Après quoi, la délégation retrouva le bon air frais de la campagne tchèque et se dirigea vers la banque. Là, les représentants suisses marquèrent une pause.

— Désirez-vous entrer ? invita Bürger. Par ici, je vous en prie.

A l'intérieur, les visiteurs firent connaissance de Karel Bobicek, le directeur, et examinèrent les coupures imprimées à Prague. Le mot THERESIENSTADT se détachait dans un ovale au centre des billets.

Sussens tint quelques coupures contre la lumière. Elles étaient authentiques.

— Je suppose qu'elles ne sont pas encore très cotées sur le marché international.

— Non, monsieur.

— Eh bien, un jour, qui sait... ? Merci.

En sortant de la banque, la délégation suisse tomba sur un groupe d'enfants qui jouaient à la marelle. Bürger distribua quelques bonbons que les bambins acceptèrent avec de petites révérences.

Après un nouveau et bref coup d'œil à la palissade verte, Bürger entraîna la délégation vers les bancs disposés dans le square principal afin que les visiteurs de la Croix-Rouge internationale pussent entendre une partie du concert préparé par les habitants de Theresienstadt à l'occasion de la fête.

On joua une suite de Debussy interprétée de façon particulièrement brillante. Bürger ne cacha pas sa satisfaction, partagée par la délégation, devant le talent du jeune « invité », chef de l'orchestre symphonique de Prague, cuisinier au camp.

A ce moment, les figurants déambulant dans le square apparaissaient pour la deuxième fois et Bürger mit rapidement fin à l'intermède musical.

— Ça n'était pas prévu au programme, mais je sais que ma fille, Hilda, nous a préparé une surprise. Une tasse de vrai thé anglais.

— Du thé anglais ? s'étonna un Suédois. Comment diable vous l'êtes vous procuré ? demanda-t-il à Hilda.

Il lorgnait la fille de Bürger depuis que la délégation avait commencé son inspection.

— Si vous me promettez de ne pas le répéter à papa, je vous mettrai dans le secret, confia-t-elle.

— Vous avez ma parole.

— Il provient d'un colis de la Croix-Rouge. Un jeune homme d'ici, qui m'aide au jardin, l'a reçu. Il insiste toujours pour me faire cadeau de certaines petites choses contenues dans ses paquets... Ça rend papa furieux.

— Est-il beau garçon ?

— Qui ça ?

— Le jardinier.

Les visiteurs regagnaient le quartier général, zone sûre. Bürger était en grande forme.

— Vous devez être fatigués, mais tout le monde ici attendait votre visite avec impatience. Après le thé, nous assisterons au début d'un match de football entre l'équipe championne juive et nos soldats. Il existe une grande rivalité...

— Nous serions très désireux de visiter un dortoir et l'hôpital, lança l'une des femmes.

— Oui, et aussi d'assister au repas du soir... ajouta une autre.

— Nous ne pouvons pas trop nous écarter du programme prévu, remarqua Sussens. Mais si cela était possible...

Quels diplomates, ces Suisses, pensa Bürger.

— Mais certainement. C'était d'ailleurs prévu. Le camp est à vous pour la journée. Eh bien, ma chère, ce thé ?

Hilda était une parfaite *Hausfrau*. Elle n'entendit pas la suite des paroles de son père.

— Ma fille est réellement étonnante. Savez-vous qu'elle fait venir son thé de notre ambassade de Turquie où elle compte un ami. (Il agita un index badin.) Vous

vous imaginez la tête que ferait le marchand anglais qui a vendu ce thé à l'importateur turc s'il nous voyait en ce moment ?

Bürger éclata d'un rire sonore, imité par l'un des membres de la délégation suédoise.

Après le thé, Eichmann donna le coup d'envoi du match de football ; il nota avec satisfaction qu'il y avait suffisamment de soldats dans chaque équipe pour éviter tout incident sérieux. On emmena les femmes visiter une salle de douches, l'hôpital et le réfectoire, en réalité celui des soldats.

La délégation passa le portail de Terezin à 18 heures. Ses membres étaient épuisés par l'épreuve d'une telle journée et le trajet de retour à Prague fut effectué en un peu moins d'une heure. Là, après un court repos, ils assistèrent à un banquet donné en leur honneur.

Il ne vint à l'idée d'aucun d'entre eux de demander ce qui se trouvait de l'autre côté de l'interminable palissade verte, pas même à Herr Eichmann.

42

En ouvrant les yeux, Antonin perçut, jaillissant par l'ouverture, la réfraction du soleil sur la neige.

Combien de temps avait-il dormi ? Une heure ? Deux ? Sa montre eût été un atout précieux pour le groupe.

— As-tu idée de l'endroit où nous nous trouvons, Heinrich ?

Heinrich était assis, les bras ramenés autour des genoux. Plusieurs des enfants se tenaient debout et mâchonnaient leur restant de pain.

Le docteur avait disposé un tas de paille près de la porte pour faire office d'urinoir. Une fois de plus, il montrait ses talents d'organisateur. Les filles à gauche, les garçons à droite. Les enfants ne lui accordaient guère d'attention et la plupart d'entre eux urinaient là où ils se trouvaient.

Heinrich se tourna lentement vers Antonin.

— Nous n'allons pas tarder à arriver à Ostrava. C'est tout à côté de la frontière polonaise.

— Tu as un plan ?

— Il ne veut pas nous le dire, intervint Samuel. Demandez-lui, M. Karas.

— Il nous le dira quand il aura tout mis au point.

— Je n'en parlerais pas à ma propre mère !

— Ma foi, moi non plus.

197

— Vous avez un plan, M. Karas ? demanda Heinrich en se tournant vivement vers Antonin.

— Pas exactement. Je réfléchis.

— Vous devriez me tenir au courant.

— Je n'y manquerai pas. Tu es un bon gars, Heinrich. Tu me plais.

— Ouais, parce que j'en connais un bout sur les trains !

— Crois-tu que c'est uniquement pour ça que tu inspires de la sympathie ?

— Personne ne s'occupait de moi avant. J'ai bien compris. C'est ça, la vie. Heinrich... ça ne vous dit rien ? C'est un nom allemand, hein ? Ce n'est pas le mien. Je ne veux pas d'un foutu nom polonais. Je veux un nom allemand. C'est plus sûr et, comme ça, je pourrai être quelqu'un.

— Tu es quelqu'un, quel que soit ton nom, lui fit remarquer Antonin.

— Qu'est-ce que vous en savez ? Est-ce que vous vous êtes porté volontaire pour venir ici ? Pour quitter la sécurité de votre emploi ? Non. Ils vous y ont obligé.

— Je ne l'ai pas voulu, mais je suis heureux d'être ici.

— C'est idiot. Vous pourriez prendre du bon temps, sur les planches... avec tous les projecteurs et les cris de joie des gens qui rient de vos plaisanteries à s'en tenir les côtes...

— Et pourtant je suis heureux d'être ici, répéta Antonin.

Heinrich leva les yeux vers lui et cracha un brin de paille.

— Vous êtes dingue, M. Karas...

— Ferme-la, Heinrich ! intervint Samuel.

Heinrich leva la main et sourit.

— J'aurais fait exactement la même chose... la même bêtise !

Vera s'éveilla en sursaut. Le train venait de prendre de la vitesse.

198

— Y a-t-il encore un peu d'eau ? J'ai la gorge complètement sèche...

— Le seau a été renversé pendant la nuit. Il n'en reste plus une goutte.

Longuement, Antonin réfléchit aux paroles d'Heinrich et il se demanda quelle réponse il pourrait bien lui fournir.

Dans la soirée, le train s'immobilisa au cœur d'une forêt de pins. Le vent soufflait avec une telle force qu'il ébranlait les wagons. Avec lui vint la neige. Une neige dense. Elle pénétrait en bourrasques par l'ouverture et chacun des enfants fut soulevé à bout de bras par le docteur afin qu'il pût se désaltérer en avalant quelques flocons. Cela sauva la vie à deux gosses.

Ils avaient les lèvres enflées au point qu'ils parvenaient difficilement à les entrouvrir pour laisser pénétrer un peu de neige. Le docteur redoutait des cas de typhoïde.

Ce fut la nuit la plus froide qu'Antonin eût jamais vécue. Chaque fois qu'il essayait de chercher un peu de chaleur auprès de Vera, il semblait qu'elle se fût endormie, la tête entre les mains.

Assis à son bureau, Bürger leva la tête. Il avait écrit sur un coin du buvard, de son écriture la plus résolue, des mots qu'il lui fallait brûler.

Il avait écrit : « Dix mille avant fin janvier. Dix mille autres avant fin février. »

Il déchira cette partie du buvard et la brûla.

— Dix mille ? s'enquit simplement l'aide de camp en toussotant discrètement. Ça ne va pas être facile.

— On a dû renoncer à l'installation qu'on a commencé à construire de l'autre côté du mur. C'est trop dangereux. Tout doit être fait à Auschwitz. J'ai été averti par Berlin.

— Je suis persuadé que nous parviendrons à former des convois d'une façon ou d'une autre, mon commandant.

— Le camp va être surveillé pendant des mois. (Il laissa passer un temps.) Y songez-vous quelquefois, Hans ?

— Que voulez-vous dire, mon commandant ?

— Est-ce que tout cela ne vous frappe pas ?... Après tout, ce sont des êtres humains.

— Et vous, mon commandant ? Cela vous frappe-t-il ?

— Je suppose que tout est bien ainsi. Regardez la façon dont ils ont ruiné le pays... et ils continuent à nous mettre des bâtons dans les roues. Même les Anciens ici... Non, seulement, quelquefois, la nuit, il m'arrive d'avoir des cauchemars, et Hilda me réveille... et puis, bien sûr... tout rentre dans l'ordre. Je suppose que nous avons tous notre point faible. C'est bien de Shakespeare, n'est-ce pas ? On m'a dit que les Russes prétendent qu'ils ont inventé Shakespeare, ou quelque chose dans ce goût-là. Quelle connerie !

Bürger s'approcha de la fenêtre contre laquelle il se campa de façon caractéristique.

— Vous savez, mon commandant, la visite de l'autre jour a été un succès sans précédent, assura en riant l'aide de camp. Nous avons donné une représentation magistrale.

— Je sais, rétorqua tranquillement Bürger. C'est ce qui a déclenché mes cauchemars. Qui diable croyons-nous tromper ?

Depuis le début de la matinée, le convoi gravissait une pente. Le train prenait régulièrement de l'altitude, rejetant la neige sur les bas-côtés bordés de pins, crachant la suie. La seconde locomotive, placée maintenant à l'arrière, poussait les wagons.

Vers midi, ils traversèrent Jesenik. La frontière polonaise se trouvait à quelque trente kilomètres au nord, mais il fallait que le convoi serpentât à travers les monts Tatra pour y parvenir. La première grande ville de l'autre côté serait le centre industriel de Cracovie.

Dans le wagon, les conditions s'étaient détériorées. Il y avait eu davantage de vomissements et, en dépit des ordres très stricts du docteur, les enfants avaient englouti ce qui leur restait de pain.

La paille recouvrant le plancher du wagon avait été retournée à deux reprises ; elle était à présent si détrempée qu'elle pourrissait.

Antonin s'était efforcé d'échafauder un plan. Mais ils étaient pris au piège. La seule chance résidait dans un arrêt du train suivi de l'ouverture des portes pour changer la paille. Il faudrait bien que ce soit fait, tôt ou tard. On leur apporterait sans doute aussi du pain. Il se demanda combien d'enfants seraient en état de tenter une évasion. Cinq d'entre eux, dont deux fillettes, pouvaient à peine se tenir debout.

Dans leur détresse, ils pouvaient s'estimer heureux ; il ne semblait pas s'agir de typhoïde. La température des enfants était à peu près normale et la diarrhée ne présentait pas un caractère aigu. C'était simplement de l'épuisement.

— Il arrive un moment où la volonté renonce, expliqua le docteur. Et le corps obéit en s'abandonnant à la décomposition.

Ce convoi n'était pas le premier qu'aient connu les enfants et l'expérience acquise apportait une aide aux plus vigoureux d'entre eux.

— Vous voulez toujours tenter de nous sortir de là ? s'enquit Vera d'un ton exempt de sarcasme.

— Il doit y avoir un moyen. Nous aurons notre chance. J'en suis certain.

Mais le cœur n'y était plus. Le masque fondait.

Le train s'arrêta brutalement. Heinrich bondit. Les wagons redescendirent la pente sur quelques mètres, puis les spécialistes de la compagnie du génie firent jouer les freins à air comprimé. Le train s'accrocha aux rails couverts de glace.

— Qu'est-ce qui se passe ?

— Sommes-nous arrivés à destination ?

— Ils n'ont peut-être plus de charbon.

— Chut ! intima Antonin en portant un doigt à ses lèvres. Ecoutez.

La pression de la vapeur des deux locomotives diminuait rapidement. On pouvait nettement percevoir le chuintement du liquide brunâtre craché par la chaudière, qui crépitait dans les branches des arbres proches.

Mais Antonin entendait aussi autre chose. Des avions.

— Ecoutez ! cria-t-il.

Le silence se fit.

— Espérons que ce sont les Alliés, murmura Vera.

— Quelle importance ? Toutes les bombes ont le même effet, répliqua Samuel.

— Il y en a beaucoup... commenta le docteur.

La première bombe atteignit la voie en avant du train. Dans le fourgon N° 48, les prisonniers purent entendre la boue et la neige qui s'abattaient sur le toit des autres wagons.

Tous les enfants se redressèrent. Certains d'entre eux s'agrippaient à leurs camarades pour se tenir debout. Plusieurs se mirent à pleurer.

— Du calme ! Du calme ! cria le docteur. Les larmes ne vous serviront à rien.

Mais les sanglots redoublèrent.

La première bombe fut suivie d'une dizaine d'autres. Les wagons s'inclinèrent follement à la manière d'une chaîne qu'on aurait tordue. Soudain, des cris fusèrent au-dehors et des soldats se précipitèrent le long de la voie.

— Que chacun reste où il est et m'écoute attentivement ! s'écria Antonin. Faites exactement ce que je vous dis.

A la façon dont le wagon penchait et d'après les cris qui s'élevaient à l'avant du convoi, il était évident qu'une voiture au moins avait été touchée et qu'elle était probablement couchée sur le ballast.

Antonin colla l'oreille à la porte. Il entendit le grincement des verrous qu'on tirait.

— Tout le monde dehors ! Tout le monde dehors ! *Lauf ! Lauf !*

Les avions larguaient d'autres bombes. Une explosion assourdissante retentit à l'avant. Le wagon 48 repartit en arrière ; il descendait la pente avec les trois autres fourgons accrochés derrière lui et la locomotive de queue.

Antonin entendit encore le soldat qui tirait les verrous.

— C'est un bombardement aérien, répétait l'homme.

Le wagon s'immobilisa. Les mécaniciens avaient dû réussir à actionner les freins, à leur faire mordre les rails glissants.

204

— Ecoutez, les enfants. Faites ce que je vous dis. N'obéissez à personne d'autre. C'est notre unique chance ! lança Antonin qui se tourna aussitôt vers Vera. Je vous avais dit qu'elle viendrait.

La porte du wagon s'ouvrit, révélant un bouquet de pins à une vingtaine de mètres. Leurs branches chargées de neige cristalline, les arbres s'étageaient doucement sur la pente.

Antonin sentit le canon d'une mitraillette qui s'enfonçait dans son ventre. Le soldat qui avait fait coulisser la porte se tenait dans l'encadrement.

Antonin recula.

— Tout le monde dehors ! *Schnell !* cria le garde.

— Suivez-moi, dit Antonin.

Il sauta sur la neige. Les enfants commencèrent à l'imiter. Le docteur et Vera lui tendaient ceux qui ne pouvaient descendre par leurs propres moyens.

— Courez vous mettre à l'abri des arbres, répétait constamment Antonin.

Il jeta un coup d'œil vers l'avant du convoi. Deux wagons étaient couchés sur le flanc et la locomotive de tête gisait sur le remblai, crachant encore de la vapeur. Quelques soldats se tenaient à bonne distance et jetaient de la neige sur les charbons ardents qui s'étaient répandus sur l'un des fourgons atteints.

Le wagon 48 et ceux qui le suivaient jusqu'à la deuxième locomotive, qui se maintenait bravement sur la voie, étaient totalement coupés du reste du convoi. Entre les deux sections du train, les rails soulevés ondulaient comme de petites montagnes russes. Devant les prisonniers, et à demi cachée par les pins, se distinguait une petite gare.

— C'est Glucholazy, expliqua Heinrich. La dernière halte avant la frontière. Un poste de douanes. Mon père...

Antonin n'en entendit pas davantage tant il se pressait à emmener les enfants vers les pins.

Partout où il portait les yeux, il découvrait des soldats

armés de mitraillettes. Il devait y en avoir une dizaine dans les arbres et d'autres couraient le long de la voie en criant.

En tête, la panique ne s'était pas encore apaisée. On tirait les morts et les blessés des wagons éventrés et on les étendait sur la neige, à proximité du petit quai.

L'odeur de fumée, de caoutchouc brûlé et de métal chauffé à blanc assaillait les narines d'Antonin.

Un cri monta de l'avant, suivi d'un hurlement atroce. La locomotive explosa et le feu se communiqua aux wagons. Trois jeunes prisonniers s'emparèrent d'une mitraillette. Frénétiquement, ils firent feu tout en se précipitant à l'assaut de la pente derrière la gare pour se mettre à couvert des arbres.

Ils n'y parvinrent jamais. L'arme s'enraya au moment où celui qui fermait la marche se retournait pour lâcher une rafale et tous trois furent abattus par les soldats postés sur les toits des wagons.

Antonin souleva le dernier enfant et courut vers le bouquet de pins. Sur ses pas, venaient le docteur et le soldat qui était resté auprès de lui pendant l'évacuation du wagon.

Le violon !

Il se retourna, voulut rebrousser chemin, mais l'Allemand s'interposa.

— Mon violon ! J'ai laissé mon violon !

Quelqu'un le tira par la manche. C'était Samuel. L'enfant tenait la boîte à violon.

— Vous me l'avez donné, juste avant que je saute.

Antonin s'apprêtait à se charger de son instrument mais l'expression qu'il surprit dans les yeux du gamin l'incita à suspendre son geste.

— Garde-le-moi, dit-il, je te le confie. Ne le donne jamais à personne d'autre.

Le visage de Samuel s'éclaira.

— Je le garderai. N'ayez pas peur. Je vous le promets.

Les avions revinrent alors que les prisonniers se tenaient tous sous les arbres. Mais c'était uniquement pour constater les dégâts. Il s'agissait de B 29 d'une escadrille américaine en mission pour bombarder Cracovie.

Par bonheur, ils ne lâchèrent plus de bombes ; en effet, nombre de gens sortaient encore des décombres en rampant et d'autres restaient coincés sous des amoncellements de ferraille. La majeure partie de ceux qui étaient capables de marcher furent conduits dans la cour de la gare. On alluma des feux et on distribua une ration de pain. Quelques morceaux parvinrent même jusqu'au groupe d'enfants isolés sous les arbres.

Les vieux et les infirmes regagnèrent la chaleur des wagons partout où c'était possible. Etendus sur la paille puante, ils maudissaient les Alliés, les Allemands, et même le Dieu qui les avait créés. Nombre d'entre eux moururent ainsi et leurs corps gelés furent plus tard déposés sur le ballast. D'autres se serrèrent si bien les uns contre les autres qu'ils parvinrent à survivre.

Derrière le bouquet de pins se trouvait une petite grange servant à emmagasiner le foin en été. Elle ne comportait pas de grenier mais était traversée de part en part par une énorme poutre à laquelle était fixée une poulie servant à hisser les balles de foin.

Les enfants reçurent l'ordre de se mettre en file indienne et ils furent rapidement conduits jusqu'à la grange. Les plus forts aidaient les malades et Samuel suscitait l'envie de tous car il portait le violon d'Antonin.

— Pourquoi est-ce qu'ils ne nous mitraillent pas tous ? demanda Antonin. Leur problème serait immédiatement résolu.

— Vous n'avez pas encore compris la mentalité allemande, dit Vera en arrivant à proximité de la grange. Quand ils sont responsables d'un nombre de prisonniers X, ils doivent remettre à l'arrivée le nombre X, pas Y ou Z.

— Même s'ils les conduisent tous à la chambre à gaz ?

— Surtout s'ils les conduisent à la mort. Un évadé, un seul, peut vendre la mèche. Pourquoi croyez-vous qu'ils nous aient si soigneusement isolés ?

Ils venaient d'entrer dans la grange. Elle était plus vaste que le wagon et méticuleusement propre avec son sol de terre battue.

Il n'y avait pas de fenêtre. La porte fut claquée derrière eux et une sentinelle monta la garde. Mais à travers les interstices des planches, ils purent distinguer un pré qui montait en pente douce devant eux, puis d'autres arbres. La neige avait été balayée par le vent et des touffes d'herbes sèches formaient des monticules — filigranes givrés sur l'horizon.

— Il y a des vaches en été dans ce pré, dit Samuel.

— Comment le sais-tu ? s'enquit Vera.

— Ces touffes d'herbe épaisse... elles poussent sur les bouses. Grand-père me l'a expliqué.

— Où est le docteur ? demanda Antonin vivement.

— Dehors avec Anna, chuchota Vera. Inutile de le dire aux autres. Elle est morte dans le wagon. Mais il tenait à s'en assurer. Il y a quelques grosses pierres au coin du pré, là-bas, derrière l'arbre. Il en recouvre son corps. Il en aura terminé dans un instant.

Antonin commençait à s'habituer. Il ne laissa pas cette pensée s'installer dans son esprit. Elle glissa simplement comme une phrase lue dans un livre ou une séquence de film. Sans rapport avec la réalité. On devait l'admettre et passer à autre chose. Malheureusement, il n'y avait pas toujours autre chose à faire. A moins que l'attente ne fût une activité. Antonin tint donc le rôle du docteur et organisa les groupes d'enfants ; il s'affairait, Vera à ses côtés, comme une mère poule. Pas un numéro classique, pas un sketch comique tiré du passé. La réalité. Une réalité sans passion, mais néanmoins primordiale.

Quand le docteur revint, Vera avait séparé les grandes

filles des garçons et formé un groupe des plus jeunes. Les enfants mâchaient le pain qui leur avait été distribué sous le bouquet d'arbres.

Vera manœuvra de telle façon que son groupe, qui étalait du foin pour s'y étendre, fut à côté de celui dont la garde incombait à Antonin. Ainsi, ce dernier et Vera se retrouvèrent assis côte à côte cet après-midi-là ; ils se reposaient calmement dans l'odeur tiède du foin.

45

La neige ne tombait plus. Et le vent s'était calmé. Vera entendit le garde qui venait relever son camarade et lui annoncer qu'il pouvait aller à la soupe. Elle en conclut qu'il devait être environ sept heures.

Longtemps, Antonin était resté étendu à côté d'elle, les yeux fixés sur la poutre traversant la grange de part en part, les traits crispés par les pensées qu'il agitait.

Elle ne voyait pas le docteur qui se trouvait au fond de la grange, derrière un tas de foin. Mais elle l'entendait. Il ronflait lourdement comme à l'accoutumée. Le pauvre homme était épuisé. A son retour, il lui avait tendu une partie des vêtements d'Anna qu'il avait cachés dans ses poches.

— Dans un jour ou deux, quand les enfants auront oublié, cela vous sera utile. Surtout les chaussettes. J'ai remarqué une fillette...

— Oui, elle s'appelle aussi Anna, avait coupé Vera. Elle en a grand besoin.

Puis, le docteur s'était glissé dans le foin en prenant garde de ne pas déranger les enfants, et avait sombré dans le sommeil.

Vera se souleva doucement sur un coude. De l'autre côté d'Antonin, elle distingua Samuel dont le profil paraissait presque angélique. Il s'agitait légèrement dans son sommeil mais sa respiration restait régulière.

— Ils dorment tous, chuchota-t-elle.

— Pardon ? demanda Antonin.

Elle glissa sa main dans celle de l'homme.

— Ils dorment. Ils dorment tous.

Il faisait bon sentir la chaleur de la main d'Antonin. Longtemps, elle était restée étendue là, incapable de penser à autre chose qu'à le toucher. Mais elle n'avait pas osé rompre son silence. Pourtant, le désir d'un contact la submergeait. Plus elle tentait de le repousser, plus il revenait, impérieux. Il s'insinuait le long de ses cuisses, éclatait dans son ventre. Il caressait doucement ses seins de sorte que les pointes se dressaient, dures, fermes. Quand il lui envahit la tête et qu'elle l'analysa, elle comprit que ce qu'elle souhaitait, c'était être touchée par lui.

— Ils sont tous endormis, Antonin, répéta-t-elle.

Et quand il tourna la tête vers elle, elle l'embrassa sur la bouche. Un baiser très doux, mais Antonin perçut la vigueur qu'il cachait. Leurs lèvres se séparèrent lentement, mais elle se remit à l'embrasser presque immédiatement ; cette fois, elle se collait à la bouche de l'homme, aspirant son souffle.

— On va nous entendre.

— Non. Et quand bien même les enfants nous surprendraient, ils en ont vu d'autres, assura-t-elle.

Il roula dans le foin tandis que sa main se glissait sous la blouse. Sa jambe droite s'insinua entre les cuisses de Vera, remonta. Elle aimait le contact de ce genou dur.

La main d'Antonin caressait sa poitrine comme elle l'avait imaginé. Mieux encore. Il étendit les doigts et rapprocha les seins afin qu'il pût caresser les deux pointes en un même geste. Elle ouvrait la bouche mais elle mordit dans le foin pour retenir son cri.

Il posa la tête sur ses seins et les caressa de son oreille, puis il les embrassa. Elle perçut une sorte de fourmillement. Pas localisé. Tout son corps vibrait.

211

— Nous ne devrions pas. Vraiment pas ! murmura-t-il, mais sans conviction.

Ils étaient allés trop loin.

Sa langue était dure, rêche sur ses seins tandis que ses doigts cherchaient à défaire les boutons de la blouse. Elle écarta sa main, le fit à sa place. Puis elle dégrafa la ceinture de sa jupe.

Lentement ses mains descendaient le long de son corps. Ses doigts caressèrent les hanches, lissèrent la chair.

Une seconde, elle laissa ses bras retomber à ses côtés.

— Dieu, faites que ça continue... Je vous en prie, mon Dieu !

Sa main se referma sur le membre de l'homme. Elle l'appliqua contre son ventre nu. Il était dur, charnu. Elle devait se retenir, attendre encore.

— Dieu que la vie est belle ! Elle n'est que beauté !

Les genoux d'Antonin écartaient doucement ses jambes. Elle sentait la chaleur du membre raidi contre sa cuisse.

Il la pénétra lentement et son corps s'ouvrit pour le recevoir.

Elle ne pouvait plus se retenir... Elle y avait pensé depuis si longtemps, étendue dans le foin. Elle se sentit vibrer, tout comme Antonin, à la même seconde. Toute notion du temps la déserta et elle demeura étendue, la main sur la bouche, se mordant pour ne pas hurler de joie.

Après un moment Antonin retomba dans le foin où il demeura, allongé sur le dos.

— Je t'aime, Vera, dit-il.

Appuyée sur un coude, penchée vers lui, elle lui sourit.

— Comment se fait-il que tes dents soient d'un blanc si éclatant alors que tu n'as pas eu la possibilité d'en prendre soin depuis des années ?

— Peut-être simplement parce que j'ai de la chance.

— As-tu entendu ce que je viens de te dire ? Je t'aime.

— Je sais. Et je suis si heureuse, Toni.

Elle s'étendit dans le foin. Côte à côte, ils demeurèrent silencieux pendant un long instant.

Les yeux d'Antonin se posèrent de nouveau sur la poutre. Un plan commençait à prendre forme dans sa tête.

Vera regarda dans sa direction et s'aperçut avec horreur que Samuel était assis.

— Je ne pouvais pas dormir.

Antonin se retourna d'un bloc.

— Espèce de petit... Depuis combien de temps... ?

— Laisse-le tranquille, dit Vera en rajustant sa jupe.

Antonin s'assit, tout proche de Samuel. Ils se dévisagèrent. Puis, l'homme baissa les yeux. C'était lui qui se sentait gêné.

— Tu devrais essayer de dormir, conseilla Vera.

— Je ne peux pas. Ça m'a bouleversé... la mort d'Anna.

Antonin sourit et ébouriffa les cheveux de l'enfant.

— Alors, viens bavarder un instant avec nous.

Le gosse rampa dans le foin et s'assit à leurs pieds. Vera se rapprocha et lui prit la main.

— Je me rappelle... Papa et maman... bredouilla Samuel. Mais, à ce moment-là, je ne comprenais pas.

— Un jour, tu comprendras, Samuel, dit Antonin.

— Oh, mais je comprends déjà.

Un silence tomba entre eux tandis que chacun suivait le cours de ses propres pensées, heureux d'être là et ne voulant pas s'immiscer dans les réflexions des autres.

— Si vous avez un bébé, qu'est-ce qui lui arrivera ? demanda tout à coup Samuel.

Antonin éclata de rire. Il se gratta la tête.

— Je l'appellerai Samuel, dit Vera, très vite.

Tous trois rirent en chœur.

— Eh, où est mon violon ?

— Là, dit Samuel en levant sa main gauche qui tenait la poignée de la boîte. Vous ne croyez tout de même pas que j'aurais pu le lâcher ?

Soudain, le gamin bâilla.

— Viens t'étendre là, entre nous deux.

Samuel obéit sans lâcher sa boîte à violon.

Quand Vera regarda vers Antonin pour voir s'il étudiait toujours la poutre, elle s'aperçut qu'il dormait. Samuel aussi. Elle était comblée.

46

A l'aube, la plupart des prisonniers en état de marcher furent mis au travail pour réparer la voie. D'autres creusèrent une fosse dans laquelle on jeta les corps gelés des morts.

Le Kommandant du train, un lieutenant du génie, s'était mis en rapport avec Bürger par radio-téléphone. Et aussi avec son supérieur à Prague. Le convoi devait reprendre sa route aussi rapidement que possible dès qu'une autre locomotive serait arrivée sur les lieux. Suivait une liste d'ordres mineurs dont le lieutenant jugea préférable de ne pas se préoccuper sur le moment. Il fallait procéder par ordre d'urgence. Les prisonniers devaient réparer la voie en attendant l'arrivée de la locomotive de Cracovie.

Toutes les pelles et pioches du village devaient être réquisitionnées. Tous les habitants en état de travailler seraient affectés à la réfection de la voie. Les rails tordus devant le wagon 48, à l'endroit où le convoi avait été sectionné, représentaient la tâche la plus ardue. Il fallait des rails neufs. On promit de les envoyer avec la locomotive de Cracovie.

A midi, cinquante-trois pelles étaient à l'œuvre. Chaque homme travaillait une heure puis observait une pause pendant qu'un autre le remplaçait. On comptait aussi douze pioches. Le village de Glucholazy s'était révélé étonnamment vide quand les soldats s'y étaient rendus pour lever des volontaires. Ils finirent par mettre la main sur six hommes.

Certains des prisonniers n'avaient pas manié de pioches depuis des années. D'autres ignoraient tout des lourdes pelles dont on les avait munis.

Les outils étaient employés en présence des soldats du génie avec infiniment de soins et de réflexion. Après tout, le seul S.S. du convoi était l'officier de liaison et tous se rendaient compte que les soldats du génie ne possédaient ni l'expérience ni la perfidie des S.S.

47 en haut à droite

Antonin se redressa sur le tas de foin et sauta. Il saisit la poutre et se balança comme un singe. Les enfants étaient tellement habitués à ses pitreries qu'ils se contentèrent de ricaner et continuèrent à jouer aux devinettes.

Antonin plia les genoux et, d'un rétablissement, se jeta à plat ventre sur la poutre. Près d'un mètre séparait celle-ci du faîtage et son extrémité allait se perdre sous une petite porte. Le foin devait être hissé par balles prises dans la charrette qui l'apportait et la poulie circulait le long de la poutre pour permettre de l'entasser au gré du paysan. Antonin ne se souvenait pas de combien elle débordait à l'extérieur.

Quand il commença à ramper, les enfants l'observèrent, soudain silencieux. D'un signe de la main, il les incita à reprendre leurs bavardages.

Parvenu à la petite porte, il se figea et y appliqua l'oreille. En dépit du brouhaha, il sentait tous les yeux des enfants fixés sur lui. A l'extérieur, tout près, quelqu'un toussa. Antonin poussa doucement. A sa grande surprise, le battant s'entrouvrit sans le moindre grincement.

Au-dessous de lui, à peine éloigné de deux mètres, se tenait un soldat armé d'une mitraillette. L'homme toussa encore et cracha dans la neige.

A sa gauche, Antonin aperçut le train et les prisonniers qui travaillaient sur la voie. En se fondant sur ce qu'il avait appris de la routine de l'armée allemande, il estima que ce soldat ne serait pas relevé avant une heure. Et tous les autres paraissaient occupés à surveiller la voie. Parfait.

Antonin ne referma pas la porte. D'un signe, il fit comprendre aux enfants que leurs bavardages le servaient. Il se laissa retomber non loin de l'endroit où Vera et le docteur attendaient.

— Vous êtes fou ! Vous auriez pu vous faire tuer.

— Ecoutez, Vera. Etes-vous de mon côté ?

— Que voulez-vous dire ?

— Inutile de nous sortir un tour de votre sac, Toni, dit le docteur qui, pour la première fois, usait de ce diminutif. Nous ne sommes pas au théâtre. Ces salauds ne plaisantent pas.

— J'ai un plan. Et le moment est venu. Tout concorde. C'est peut-être notre unique chance.

— Je vous en prie, Toni. Vous allez vous faire tuer !

Antonin la regarda ; il se rappelait la douceur de son corps, l'amour qu'elle lui inspirait.

— Je sais. Mais si je ne tente rien, nous serons tous tués.

— Ce n'est pas certain.

— Ne soyez pas ridicule. Bien sûr que c'est certain. Ils vont se débarrasser de nous tous. Que croyez-vous qu'ils feront ? Qu'ils continueront à nous isoler... jusqu'à ce qu'ils gagnent ou perdent cette maudite guerre ? (Il se tut, souffla sur ses doigts.) Nous perdons un temps précieux.

— Bon, d'accord. Je suis de votre côté. Quel est votre plan ?

— Mon plan ? Tout d'abord, j'ai quelque chose à faire. Ensuite, je vous le dirai, assura Antonin.

Avant que le docteur ait pu esquisser un mouvement pour l'en empêcher, Antonin se hissa de nouveau sur la poutre. Le médecin se leva et décrivit de grands moulinets de bras pour encourager le brouhaha des enfants.

Parvenu à l'extrémité de la poutre, Antonin sauta. Jamais il n'avait attaqué un homme de sang-froid et il ne voulait pas se donner le temps de la réflexion. Il atterrit de plein fouet sur le dos de la sentinelle. Le coup jeta le soldat face contre terre. L'homme ouvrit la bouche pour crier et Antonin le musela d'une poignée de foin. La mitraillette lui pendait encore à l'épaule. Antonin essaya de la dégager. Mais il n'osait pas laisser l'homme se retourner. Il lui assena un coup violent sur la nuque, puis un autre encore plus fort tout en maintenant sa main gauche autour du cou de l'Allemand, lui renversant la tête en arrière.

Le soldat avait été étourdi par sa chute, mais il reprenait ses esprits. Sa main droite glissa, prit appui sur le sol et il décocha un violent coup de coude pour déséquilibrer son agresseur.

L'Allemand était beaucoup plus massif qu'Antonin, et celui-ci savait qu'il ne disposait que de très peu de temps.

Lui agrippant le coude, il essaya de lui ramener le bras derrière le dos, mais l'homme poussa un cri. Antonin le frappa sur la bouche. D'une torsion, le garde se redressa et enfonça le genou dans le bas-ventre de son assaillant. Celui-ci sentit l'impact d'un poing contre son œil et il lui sembla perdre la vue. La sueur lui inondait le visage. Son adversaire était retombé sur le dos et sa main se refermait sur la crosse de son arme. Il tâtonnait à la recherche de la gâchette.

Antonin sentit ses forces l'abandonner. Mon Dieu, j'ai besoin de votre aide. Accordez-moi encore une minute.

Il prit une longue inspiration. La crosse de la mitraillette l'atteignit à la poitrine. Il faillit perdre connaissance. Sa tête flottait. Ses deux mains se resserrèrent sur la taille de l'homme. Recouvrer la vue, opérer une ultime tentative.

Sa main gauche rencontra un couteau. Celui-ci pendait

à la ceinture du garde dans un étui de cuir refermé par une languette à pression qu'il arracha. Le couteau se plaça dans sa main, prêt à l'action. Les doigts gourds du soldat essayaient de dégager le cran de sûreté de la mitraillette.

A deux mains, Antonin plongea le couteau dans la poitrine de l'homme. Il pesa de tout son poids jusqu'à ce que le soldat cessât de se débattre. Puis, il leva la main droite et essuya le sang et la sueur qui lui inondaient les yeux.

L'homme était mort. Son casque oscillait dans une flaque de neige. Sa main droite se crispait encore sur la crosse de la mitraillette, tout près de la gâchette. Le canon restait pointé sur la poitrine d'Antonin. Quand celui-ci regarda attentivement le visage de l'Allemand, il s'aperçut que la sentinelle n'était guère plus âgée que Pavel.

Quand Antonin apparut à la porte de la grange, il était vêtu de l'uniforme d'un soldat du génie allemand. Le casque lui retombait sur les yeux, il tenait la mitraillette le long de la jambe, sa vareuse lui descendait presque jusqu'aux genoux et son pantalon était assez large pour deux. Il fit le salut nazi.

— Voilà jusqu'où !...

Les enfants éclatèrent d'un rire hystérique. Il les calma.

— Nous allons nous évader. Il n'y a personne dehors en ce moment. On va traverser le pré et gagner le couvert des arbres. Après quoi, nous chercherons refuge dans les fermes des environs. Mais vous devez tous être très sages et m'obéir. Nous allons nous séparer en trois groupes. Vous... continua-t-il en désignant les enfants qui entouraient Vera, vous suivrez mademoiselle Lydrakova. Vous autres vous irez avec le docteur. Le reste me suivra. (Il marqua une pause.) Vous devez comprendre qu'il s'agit d'une mesure de sécurité. Si l'un des trois groupes est repéré, les autres doivent me promettre de ne pas chercher à aider leurs camarades sinon eux aussi seraient tués. Il faut continuer, quoi qu'il arrive. C'est compris ?

Les enfants hochèrent la tête en silence.

— Le groupe de mademoiselle Lydrakova partira en

premier. (Du coin de l'œil, il observa Samuel qui saisissait la main de Vera.) Il empruntera le côté gauche du pré en se baissant le plus possible pour se dissimuler parmi les touffes d'herbe. Ensuite, ce sera le tour de ceux qui accompagneront le docteur. Ils partiront de l'autre côté de la grange et remonteront le pré sur la droite.

Il laissa encore passer un temps.

— Tout le monde a bien compris ?

Des grognements, des hochements de tête lui répondirent.

— Quant à mon groupe, il partira en dernier. Nous passerons par le centre du pré et il nous faudra éviter de montrer nos fesses, nous ramperons à quatre pattes. Mais nous ne nous mettrons en branle que lorsque les deux premières sections auront atteint le couvert des arbres. C'est bien clair ? Une fois sous les pins, nous nous regrouperons pour gagner le village où nous pourrons nous cacher.

Tous les yeux restaient fixés sur lui.

Vera s'avança.

— Si vous tenez à vous faire passer pour un soldat, autant essayer d'avoir l'air vrai. Vous ressemblez à Charlot.

Les enfants éclatèrent de rire. Vera tirait sur la vareuse.

— Serrez-moi davantage ce pantalon. (Elle ajusta la ceinture.) Bombez la poitrine... Non ! La poitrine, pas le ventre !

Au bout de quelques secondes, Vera, suivie de son groupe, partait à l'assaut de la colline.

49

Un ex-général allemand, prisonnier politique, brandit sa pelle et la laissa violemment retomber sur la nuque d'un caporal du génie.

Ce fut le début d'une levée en masse et d'une révolte partiellement organisée le long de la voie. Le général entraîna plusieurs de ses compagnons entre deux wagons qu'ils désaccouplèrent. L'un de ceux-ci s'ébranla et commença à descendre la pente en direction d'un groupe de prisonniers, d'Allemands et d'habitants du village qui s'efforçaient de dégager les rails tordus.

Le général leva le bras. Un peu plus bas le groupe de travail comprit le signal. Le wagon prenait de la vitesse. Avant que les gardes n'aient eu le temps de le remarquer, un habitant du village poussa sur la voie un soldat allemand d'un coup de pelle dans le dos. Les deux soldats travaillant au milieu des rails, n'avaient pas la moindre chance. Les prisonniers se ruèrent à l'abri des arbres. Certains d'entre eux se tinrent sous les branches basses pour observer la scène, d'autres continuèrent à courir.

Le wagon heurta les rails tordus et se renversa ; il glissa sur le remblai dans un éclaboussement de neige.

Un prisonnier se pencha sur la mitraillette d'un Allemand coincé sous le rail et la lui arracha.

Des coups de feu et des cris retentirent, émanant du

groupe en tête du train. Une quarantaine d'hommes armés de pelles et de pioches descendaient la voie en courant à l'abri des wagons. Une dizaine de nouveaux venus les accompagnaient, des habitants du village porteurs de fusils de chasse.

Une quinzaine d'hommes, qui travaillaient en queue, les rejoignirent et tous se mirent à l'abri des wagons renversés. Ils disposaient de deux mitraillettes prises aux gardes, de quatre fusils de chasse et de quelques pelles.

Ils étaient maintenant quatre-vingts hommes sous les ordres du général. Les autres prisonniers couraient comme des lapins. Certains montèrent dans les wagons et s'y tapirent pour attendre. D'autres se précipitèrent vers le quai.

Les Allemands tiraient comme des forcenés. Seul, l'officier de liaison S.S. restait calme, revolver au poing, à l'abri d'une roue de la locomotive.

Il aboyait des ordres, sommant les soldats de venir se regrouper autour de lui. Mais nombre des hommes du génie avaient aussi trouvé refuge à l'intérieur des wagons.

Sur la colline, à environ trois cents mètres de l'endroit où se tenait Antonin, une vieille femme, ayant réussi à franchir la clôture, se ruait vers le bouquet d'arbres qui coiffait le sommet de la pente.

Soudain, un silence tomba. L'ex-général dit :

— J'ai besoin de cinq volontaires pour m'accompagner de ce côté-ci du train afin de les prendre à revers en passant derrière la cabane proche du quai.

Il choisit ses hommes rapidement et avec soin.

Courbés en deux, les yeux fixés sur ce qui restait de la locomotive, ils avancèrent sur la neige poudreuse.

Vera et son groupe se tenaient à l'abri de quelques hautes touffes d'herbe, à mi-chemin du sommet de la pente. Quand les coups de feu éclatèrent, elle ne put empêcher les enfants de se retourner pour voir ce qui se passait. Elle les fit tous mettre à plat ventre sur le sol, leur dit d'attendre. Dès que la fusillade eut cessé, elle ordonna :

— Allez, tous ensemble et courez de toutes vos forces !

Les enfants se redressèrent. Antonin les vit de la grange. Il venait tout juste d'expédier le docteur et son groupe vers le côté droit du pré.

Inquiet, il remarqua que les enfants dont Vera avait la charge éprouvaient des difficultés à progresser ; ils glissaient sur la neige gelée. Un garçon, qui portait un petit camarade sur le dos, traînait lamentablement à l'arrière.

Il aperçut Vera qui revenait sur ses pas et aidait le gamin. Les premiers enfants du petit détachement atteignaient les pins. Le groupe du docteur se mit en marche.

Un bruit, venu du bas de la côte, à l'angle du champ, attira l'attention d'Antonin. Deux soldats, détachés de la section formée autour de l'officier, se précipitaient vers le pré. Ils appelaient des camarades à la rescousse.

Vera et les derniers membres de son groupe n'avaient plus que quelques mètres à franchir. Mais le docteur se trouvait en terrain découvert et les soldats le repérèrent.

Ils ouvrirent le feu. Le groupe du médecin comptait une quinzaine de gosses. Tous se jetèrent à plat ventre dans la neige gelée. Antonin distingua le crâne chauve du docteur qui brillait au soleil.

Il leva les yeux vers le haut du pré et vit Vera qui courait à travers les arbres. Il sourit et rendit grâce au Ciel. Les Allemands franchissaient la barrière et se mettaient à courir. Antonin eût souhaité être en mesure d'épauler sa mitraillette et de faire feu sur les silhouettes à demi courbées.

Pourtant, il attendit, s'acharnant sur le cran de sûreté. Tout à coup, il entrevit la tête du docteur qui se relevait. Que tentait-il, cet idiot ?

Le crâne chauve réapparut entre les touffes d'herbe, progressant vers la droite. Soudain tout le corps fut visible. Le docteur courait sans chercher à échapper à la vue des Allemands.

Lorsqu'il se fut éloigné d'une vingtaine de pas de sa cachette, garçons et filles se précipitèrent. Ils coururent droit sur les pins. Antonin compta les têtes. Neuf. Les autres avaient dû être touchés avant de se jeter à plat ventre.

Les Allemands ouvrirent le feu sur le docteur. Antonin cria aux derniers gamins qui l'entouraient :

— Partez tous du côté gauche du champ. Heinrich et Jan, restez avec moi. Allez, filez !

Presque du même souffle, il se mit à hurler à l'adresse des soldats allemands qui ne se trouvaient qu'à une vingtaine de mètres sur sa droite. Il appuya sur la gâchette de son arme. Rien ne se produisit. Il frappa la mitraillette contre sa cuisse. Un Allemand le mettait en joue. Du coin de l'œil, il vit le docteur se jeter à plat ventre. Il baissa les yeux sur son arme. Le cran de sûreté était levé, le chargeur engagé. Son doigt s'acharnait sur le pontet et non sur la gâchette. La mitraillette cracha ; les balles ricochèrent sur les planches de la grange.

Les Allemands reportaient leur attention sur lui à présent. Quatre d'entre eux. Le cinquième continuait à courir dans le pré en direction de l'endroit où le docteur s'était jeté à terre.

Comme il faisait passer Heinrich et Jan derrière la grange, Antonin aperçut son groupe qui se ruait vers les arbres. S'il parvenait à distraire les Allemands quelques minutes encore, les gosses seraient à l'abri.

Il se tint à couvert de l'angle de la grange, braqua son arme et appuya sur la gâchette. Il faillit être renversé par le recul.

Le docteur était de nouveau debout. Il paraissait avoir été touché à l'épaule. Il courait en zigzag afin d'éviter le tir de son poursuivant.

Antonin ne le vit pas atteindre l'abri des pins, mais il entendit les cris de joie qui fusaient à la lisière du bois. Vera incitait les enfants au tapage. Sans doute espérait-elle distraire l'attention des Allemands.

— Heinrich, Jan... Tenez, prenez cette arme. Heinrich... est-ce que tu peux... est-ce que tu sais... ?

— Je sais m'en servir, monsieur Karas. Ne vous inquiétez pas. Qu'est-ce que vous allez faire ?

— Prenez la mitraillette et contournez la grange. Ensuite, précipitez-vous sur la droite du pré. Vous y arriverez. Bonne chance. A tout à l'heure, sous les arbres.

Les deux garçons s'élancèrent. Ils souriaient. C'était un jeu. Un jeu vrai.

Antonin s'aplatit sur le sol et se mit à remonter la colline en rampant. Il se dirigeait vers l'endroit où le groupe du docteur s'était dissimulé la première fois. Durant les premiers mètres de sa progression, il demeura hors de vue. L'uniforme qu'il portait était lourd ; les boutons s'accrochaient aux herbes gelées, à la neige. Pourtant, il était heureux de ce déguisement qui l'aiderait lors de sa dernière manœuvre. A une certaine distance, les soldats le prendraient pour l'un d'eux. Il essaya de maintenir son casque sur la nuque, mais la jugulaire s'enfonçait dans sa pomme d'Adam. Pourtant, il s'obstinait à continuer de la sorte car son expérience du théâtre lui avait enseigné combien peut être convaincante une illusion d'optique de ce genre, vue de loin.

Il fredonnait en parcourant ces quelques premiers mètres. Il jouissait du contact de la terre gelée contre la blessure de sa main, de l'odeur humide montant de l'uniforme, et même de la douleur que lui causait la morsure du froid aux oreilles. Il pensait à Vera, là-bas, sous les arbres, qui courait vers la liberté, avec sa couvée de gosses et l'amour qu'il lui vouait. C'est ridicule, pensa-t-il. Mais je ne crois pas que je pourrais me sentir malheureux en ce moment, même si je m'y efforçais. Il était fier aussi de ce qu'il avait réalisé. Fier d'avoir été capable de tenir sa promesse. Le docteur se rendrait enfin compte qu'il avait eu raison. Il vient toujours un moment où la chance vous sourit, où les choses tournent bien. Un chic type, le docteur, malgré son côté autoritaire et méticuleux. Il se dépensait sans compter pour les enfants.

Encore cinq mètres à franchir, puis il laisserait passer une seconde et la dernière phase commencerait. Derrière lui, il entendait les Allemands qui s'interpellaient en fouillant la grange. Il perçut le bruit de leurs bottes lorsqu'ils se mirent en marche pour gravir la colline. Il n'avait pas peur. Il savait ce qu'il allait faire. Ça marcherait.

Orchestre, attaquez l'ouverture ! Prêt à lever le rideau. Lumières. Levez le rideau ! On y va !

Antonin avait toute la scène à lui et il était la vedette.

51

Les pins dégageaient une odeur douce. Ils s'élevaient drus, pressés les uns contre les autres, plantés en vue d'un reboisement, et à leurs pieds, tout était sombre. Leurs branches chargées de neige se délestaient parfois de leur fardeau, crevant le silence absolu.

Le premier réflexe de Vera fut d'entraîner les enfants sans ralentir leur course. Elle partit droit devant elle. Mais le bois était si compact qu'elle ne savait pas très bien si elle allait dans la bonne direction.

C'est alors qu'elle vit apparaître deux femmes venues à leur rencontre.

— Nous habitons Glucholazy. Nos hommes sont sur la voie, en bas ; ils se battent.

— Pouvez-vous nous aider à trouver un abri et de quoi manger ?

— C'est pour ça qu'ils nous ont envoyées. Tout est prêt.

— Est-ce loin ?

— Environ trois kilomètres. Là, se cachent les partisans. Nous les avons fait prévenir. Ils auront tôt fait de mettre fin à la bataille.

— Les enfants sont très fatigués, affamés.

La plus âgée des femmes était édentée. Elle scrutait les visages en suçant ses gencives. La plus jeune était excitée ; elle courait comme un faon, allait en avant et revenait sur ses pas pour s'assurer qu'elles n'étaient pas suivies.

Le groupe du docteur les rejoignit. Le médecin fermait la marche. Il chancelait, se tenant l'épaule.

— Ce n'est rien. Une simple égratignure. Allons-y. Allons, venez. Il faut faire vite. Les plus grands soutiendront les petits.

La plus jeune des femmes ôta le foulard noir qui lui recouvrait la tête et s'en servit pour bander l'épaule du docteur.

— Il faut continuer, répétait-il. Allons, dépêchez-vous... Faites vite. Il n'y a pas de temps à perdre !

Il regroupait les enfants, les entraînait frénétiquement derrière lui à travers les pins.

Vera était fatiguée, à bout de nerfs. De sa vie, elle n'avait été aussi tourmentée.

— Taisez-vous ! cria-t-elle, la gorge serrée par l'envie de pleurer.

— Qu'est-ce qui vous arrive ?

Vera ravala ses larmes.

— Si vous êtes inquiète au sujet d'Antonin et de son groupe, je resterai ici pour les attendre. Mais les autres doivent continuer.

— Je resterai. Partez avec eux, dit Vera.

— Ne perdons pas de temps à discuter. Allez, dépêchez-vous. Partez... Oh, eh bien, restez si vous y tenez... Ce n'est pas le moment de palabrer.

Par bonheur, à cet instant, les premiers enfants appartenant au groupe d'Antonin entrèrent dans le bois.

— Si vous croyez que nous pouvons perdre du temps à attendre, vous vous trompez. Il est de notre devoir de les mettre tous à l'abri, cria le docteur qui, soudain, se tut. Six de mes gosses sont là-bas, morts, ajouta-t-il en la quittant.

— J'attendrai les autres ici, proposa la jeune paysanne. Combien sont-ils ? demanda-t-elle en se rapprochant de Vera.

— Il y a un homme, M. Karas... Antonin Karas. Et peut-être deux autres garçons... Il porte un uniforme allemand.

— Ne vous inquiétez pas. Il s'en tirera.

La jeune paysanne regardait Vera attentivement. Tous les enfants étaient partis avec le docteur derrière la vieille femme qui leur montrait le chemin.

— Il vaudrait mieux que vous alliez avec eux. Ils ont besoin de vous, conseilla la paysanne. Ne vous affolez pas. On n'entend pas de coups de feu proches. La fusillade vient d'en bas, près du train.

— Quand est-ce que M. Karas viendra ?

Vera se retourna. Samuel.

— Quand est-ce que M. Karas viendra ?

— Je ne sais pas, marmotta Vera. Mais il nous rejoindra bientôt, j'en suis sûre.

La jeune paysanne se pencha.

— Tiens, tu veux un bonbon ? lui proposa-t-elle.

Samuel secoua la tête. Il agrippait la boîte à violon, humide de neige, parsemée de brins d'herbe.

— Bon. Mais *quand* est-ce qu'il viendra ?

Les nerfs de Vera lâchaient. Elle ferma les yeux et dit :

— Tout ce qu'on sait, c'est qu'il est dans le pré et qu'il nous rejoindra bientôt.

— Pourquoi est-ce qu'on ne retourne pas au bord du champ pour essayer de le trouver ? Il a peut-être besoin qu'on l'aide...

— Oh, tais-toi ! Pour l'amour de Dieu, tais-toi ! s'exclama Vera en s'efforçant de ravaler ses sanglots.

— Partez donc avec eux, dit la jeune femme en posant sa main sur le bras de Vera. Vous êtes tellement fatiguée, vous avez faim. Il y a de quoi manger et dormir là-bas ; et ce n'est pas bien loin. Je vous le ramènerai. Je vous le promets.

Vera regarda la femme. On entendait à peine le bruit des pas des enfants qui, à la suite du docteur et de la vieille femme, s'enfonçaient dans le bois ; ils avaient déjà parcouru près de cinq cents mètres.

Brusquement, elle prit Samuel par la main, se retourna et partit sur les traces des autres. C'était mieux ainsi. Si tout allait bien, et ce serait le cas, la paysanne lui ramènerait Antonin. Si les choses tournaient mal, alors, il valait mieux garder le souvenir de la dernière nuit.

— Veux-tu que je prenne le violon ?

— Non, merci.

— Tu es sûr ? Il doit être lourd.

— Je lui ai promis que je ne le donnerais à personne.

— Bon. Eh bien, garde-le.

Et ils se remirent en marche pour rejoindre les autres.

Le petit détachement qui, sous les ordres du général, avançait le long du train dans l'espoir de le contourner, s'immobilisa.

Le wagon, devant eux, avait été éventré sur tout un côté et déchiqueté par une bombe. Le général passa la tête entre les planches disjointes.

Soixante-dix à quatre-vingts personnes se pressaient à l'intérieur. Aucun soldat.

— Qu'est-ce que vous foutez là ?

A sa vue, les prisonniers se rencognèrent.

— Vous êtes libres ! Vous pouvez descendre de ce côté-ci. Dépêchez-vous !

Ils ressemblaient à une troupe de singes, aux yeux sombres et pénétrants. Tous le dévisageaient.

— Allons, sortez de là-dedans ! Vous êtes libres. Courez vous mettre à l'abri des bois. Les gens du village vous aideront. Nous sommes tous du même côté.

Mais ils continuaient à se tapir dans un coin.

Le général n'était pas homme à se laisser distraire du plan qu'il avait échafaudé. Il recula et, d'un signe, ordonna à ses volontaires de continuer à avancer.

Parvenu à hauteur du wagon suivant, il aperçut le reflet du canon d'un fusil pointant hors d'un monticule soulevé par l'explosion. Si seulement il avait eu une grenade ou un mortier ! Il lui aurait fait son affaire à ce salaud ! Maintenant, tous les Allemands étaient des salauds. L'ennemi commun du genre humain — son propre peuple.

Quelques coups de feu sporadiques éclataient derrière le petit détachement. Les prisonniers tiraient, un peu au hasard, au moindre mouvement sur le quai.

A une trentaine de mètres devant eux, la locomotive gisait, énorme masse de métal déchiqueté, aux roues tordues. Elle avait été complètement détachée du convoi, séparée de celui-ci par une distance d'environ sept mètres. Cette brèche représentait l'objectif du général. S'il parvenait à la faire franchir à ses hommes, le petit détachement pourrait poursuivre son chemin vers l'extrémité nord de la gare.

Les constructions de bois, ornées de sculptures aux tons délavés représentant des fleurs bleues, jaunes, orange, apparaissaient nettement au général de son poste d'observation sous le wagon. L'ancien bâtiment des douanes, à l'extrémité nord de la gare, contenait des vivres et de la bière, fait que le général n'avait pas manqué de mentionner à ses hommes pour les stimuler. L'officier savait ce que contenait le bâtiment car, la veille, quand les soldats les avaient obligés à descendre du train, il était passé devant les anciennes douanes au moment où les gardes enfonçaient la porte.

Mais ce n'était pas pour les vivres et la bière que le général voulait investir le baraquement. Celui-ci représentait le point le plus élevé de la gare et, tôt ou tard, des renforts apparaîtraient, descendant la route à flanc de colline. Tôt ou tard, un autre train arriverait. De l'intérieur du hangar, ils pourraient résister pendant des jours s'ils disposaient de suffisamment de munitions, à moins, évidemment, qu'ils ne soient attaqués par des blindés ou par l'aviation.

Le petit détachement arrivait à proximité de la brèche. Sept mètres. Courte distance. Interminable, pourtant. Un homme devrait la franchir en deux secondes. Mettons trois. Ils s'élanceraient par deux. Si l'un était touché, l'autre pourrait traîner son camarade derrière lui.

Le général leva la main gauche, deux doigts pointés en direction du ciel. Les deux premiers volontaires s'élancèrent. La chance et l'effet de surprise leur permirent de gagner l'abri que formait la partie nord du quai. Le général surprit un bruit venant du côté opposé de la locomotive. Ses hommes avaient été repérés. Les soldats changeaient l'emplacement d'un fusil mitrailleur.

Pour ceux qui venaient de passer, la prochaine manœuvre consistait à franchir les trois mètres qui les séparaient de la porte du baraquement. D'un signe, le général invita les deux hommes suivants à bondir. Ils ne restaient plus que deux. Lui-même et un Slovaque au cou de taureau, nommé Juraj.

Une rafale soudaine éclata derrière la locomotive. Les deux hommes, partis en premier, qui se ruaient vers la porte du baraquement, furent pris par surprise et s'effondrèrent, touchés à mort, les bras tendus vers leur objectif.

Les deux suivants réussirent. Ils parvinrent même à entrer dans le hangar. Le général s'apprêtait à se précipiter à leur suite quand il entendit un bruit de moteur. Il regarda par-dessus son épaule, en direction de la route.

Un détachement de voitures blindées gravissait la colline. Leurs filets de camouflage balayaient la neige sur le bord de la route et une odeur d'huile chaude montait de la peinture bigarrée.

Le général ne marqua pas la moindre hésitation.

— Allons-y ! cria-t-il.

Juraj parvint à l'abri du quai. Le général s'effondra à quelques centimètres de son but. Avec indifférence, il sentit la brûlure des balles qui lui mordait la chair. Il se tourna sur le dos et braqua sa mitraillette en direction du flanc de la locomotive renversée. Il maintint le doigt sur la gâchette, tandis que les balles ricochaient sur le métal, jusqu'à ce qu'il sombrât dans la mort.

53

Pendant toute la fusillade, Antonin avait fait le mort.
Il lui semblait que les coups de feu jaillissaient de
partout alentour, que ses poursuivants tiraient aussi. Il
ne bougeait pas, soucieux de ne pas révéler sa position.
Caché comme un furet entre deux monticules de terre, il
ne pouvait voir l'ennemi, mais il l'entendait. De l'endroit
où il se tenait, il savait pouvoir gagner l'abri des bois en
une quinzaine de secondes. Seule, cette certitude impor-
tait. Il ne lui en faudrait pas davantage.

Quand la fusillade cessa, il se redressa d'un bond et se
mit à courir. Jan, de l'autre côté du pré, l'aperçut et, lui
aussi, se rua en avant. Où diable était Heinrich ?

On tirait sur Jan. Oui. Les coups de feu partaient de la
grange. Antonin se redressa. De toute sa hauteur. Il se
tourna vers les Allemands.

— Espèce de sales cons ! Bande d'abrutis ! Regardez
donc les soldats derrière vous ! Idiots !

Il gesticulait, sautillait d'une jambe sur l'autre. Et les
Allemands se découvraient ; ils jaillissaient de l'herbe
tout autour de lui. Du coin de l'œil, il vit Jan se glisser
dans le sous-bois.

— Pourquoi est-ce que vous ne me tirez pas dessus ?
Regardez, je ne suis pas armé. Tuez-moi ! Vous avez
peur ?

Antonin se figea et, calmement, ramassa un brin d'herbe

236

sèche. Les Allemands, — il y en avait cinq — avançaient lentement, les yeux rivés sur lui, prêts à faire feu.

— Vous voulez me prendre vivant ? hurla-t-il.

Il espérait qu'Heinrich l'entendrait et se précipiterait à couvert du bois. Mais il ne perçut aucun mouvement. Sans doute, Heinrich était-il en sûreté maintenant.

— Tirez-moi dessus, bande de fumiers !

Mais les Allemands se contentèrent de le cerner ; ils reprenaient leur souffle et attendaient. En bas, près de la gare, les voitures blindées déversaient leurs chargements d'hommes. Rien ne pressait.

Antonin était en rage. Mais sa colère céda rapidement. Elle fit place à l'ironie.

Il se mit au garde-à-vous, face à ceux qui le tenaient à merci. Il leva le bras en un salut nazi.

— Voilà jusqu'où mon chien saute ! cria-t-il.

Les soldats ne comprirent pas pourquoi il riait pendant qu'ils l'entraînaient. Il ne cessa de pouffer que lorsqu'ils passèrent par-dessus le corps d'Heinrich qui serrait encore la mitraillette d'une main, sa boussole de l'autre. Sur instruction expresse de l'officier chargé des prisonniers, Antonin devait être enfermé dans le baraquement des douanes jusqu'à nouvel ordre.

54

Les pins commençaient à s'éclaircir. Des plaques de neige recouvraient le tapis d'aiguilles et crissaient sous le pas. Les enfants pleuraient. Plusieurs d'entre eux étaient si fatigués que Vera craignait qu'ils ne pussent continuer à avancer. Le docteur s'était chargé de deux gosses en dépit de son épaule. Elle en portait un, tout comme la vieille femme qui leur montrait le chemin.

Devant eux, montait une fumée.

— Veux-tu que je porte un peu le violon ? demanda Vera à Samuel.

— Où est-il ?

— Je pense qu'il ne tardera pas maintenant, assura Vera en s'efforçant de sourire.

— La dame, là-bas, m'a dit que c'était une ancienne cabane de bandits, et que nous pourrons tous nous asseoir au milieu de la maison et manger tout notre soûl. Qu'est-ce que c'est que la venaison ? Je crois que ça me plaira mieux que le bœuf. M. Karas pourra jouer du violon. Vous croyez que c'est encore loin ?

— On dirait que nous y sommes presque, Samuel.

Une clairière s'étendait devant eux et une vaste cabane de rondins se dressait en son centre. Devant la porte, quelques hommes nettoyaient leurs armes ; un autre tenait un cheval par la bride. Ils se précipitèrent à la rencontre des fugitifs, aidèrent à porter les enfants à l'intérieur du chalet.

Vera avait rattrapé la vieille paysanne. Elle posa l'enfant qu'elle portait et s'assit sur une pierre.

Elle était à bout de forces. Elle se mit à pleurer.

La vieille femme lui passa le bras autour des épaules.

— Du moment que vous êtes saine et sauve... le reste, qu'est-ce que ça peut faire ?

Le docteur, hors d'haleine, les traits crispés par la douleur, s'approcha.

— Il va venir, dit-il. Vous verrez.

— Ils le tueront, je le sais.

Le docteur la prit par le bras et l'entraîna dans la chaleur de la cabane. Comme elle passait le seuil, elle entendit Samuel qui disait :

— Il va arriver... Il leur fera la nique... Il viendra. J'ai son violon... Il est si drôle.

La neige posait une chape sur Terezin. Sa blancheur mettait en relief les teintes sombres des bâtiments. Tôt ce matin-là, alors que Bürger téléphonait dans son bureau, il régnait dans le camp un calme exaspérant.

A l'autre bout du fil, l'officier du quartier général de campagne hurlait les nouvelles mentionnant la capture d'Antonin et la remise en ordre du train bombardé. La communication était constamment brouillée, ce qui expliquait probablement l'irritation de Bürger. Les mots s'estompaient et éclataient soudain comme s'ils s'élevaient d'un disque usé.

L'essentiel de ce que cet idiot de Kommandant du génie exposait était assez clair. Lorsqu'il eut terminé, Bürger étreignit fortement le récepteur et s'exprima d'une voix mesurée. Officiellement, le train était sous son commandement jusqu'à ce qu'il parvînt à destination. D'ailleurs, on ne pouvait pas s'attendre à ce qu'un officier du génie en assumât la responsabilité. Il n'était pas qualifié.

Les doigts de Bürger se détendirent et un peu de couleur revint à ses jointures crispées sur le combiné. Il raccrocha et s'assit.

Il pouvait entendre les ordres qu'on donnait dans la pièce voisine pour qu'on lui servît son thé.

Peut-être suis-je fatigué, pensa-t-il. A moins que cet abruti de Kommandant du génie soit encore plus bête que je ne l'aurais cru.

Il leva les yeux. Sa secrétaire se tenait devant lui, une tasse de thé à la main.

— Votre thé, mon commandant.

— Je le vois bien. Merci.

— Hauptmann Läuffer est ici avec la liste du convoi. Le Conseil des Anciens a...

— La liste du convoi... ?

— Le train de demain.

— Bien sûr. (Il se leva et prit une profonde inspiration.) Dites-lui que je vérifierai demain. Combien d'enfants doivent partir ?

— De moins de treize ans, mon commandant ?

— Oui, de moins de treize ans !

— Je crois que le Hauptmann a parlé de trois cents, mon commandant.

— Très bien. Dites au Hauptmann de voir tout ça avec le Conseil des Anciens. Je serai chez moi en cas de besoin.

Il gagna la porte.

— Il fait très froid dehors ?

— Il y a beaucoup de vent, mon commandant.

La secrétaire referma la porte derrière elle.

Allait-il mettre son lourd imperméable ou sa capote ? Il se planta devant les deux vêtements, les regarda. La décision lui pesait. Il prit tout d'abord l'imperméable et le remit en place.

— Vous ne buvez pas votre thé, mon commandant ?

De nouveau la secrétaire. Et juste à côté de lui. Il se demanda si elle l'avait vu hésiter devant sa capote. La tasse fumait encore sur son bureau.

— Le thé ? Pas aujourd'hui. Merci.

Un quart d'heure plus tard, étendu sur le ventre, au lit, le visage enfoncé dans l'oreiller de plumes, alors que les douces mains de sa fille lui massaient la nuque, les mêmes pensées revinrent.

— Tu prends les choses trop au sérieux, papa, lui chuchota Hilda penchée vers son oreille.

Il éclata de rire dans l'oreiller. Impossible de céder au pessimisme quand elle était auprès de lui. Il sentit ses muscles se détendre.

— Bientôt, la guerre sera finie, et nous prendrons tous deux de longues vacances... sur les bords de la Méditerranée, peut-être.

Elle aussi riait. Il se retourna et la prit par les épaules.

Tous deux riaient. Pourtant, il n'y avait rien de drôle. Une sorte de soupape, pensa-t-il. Il lui déposa un léger baiser sur la joue et dit :

— Oui. Sur les bords de la Méditerranée.

— Ce sera la fin de toutes ces responsabilités... Tu pourras enfin mener une vie paisible, boire ton thé anglais, et te promener avec les chiens sur la plage. Tu me regarderas nager.

— Oui, marmonna-t-il.

Mais ses pensées étaient ailleurs. Il se posait des questions. Si tout était terminé... la guerre... la fin. Serait-ce vraiment comme ça... ou tout cela continuerait-il à vivre dans sa mémoire ?

— Papa, reprit Hilda, tu es beaucoup trop fort pour que quoi que ce soit t'inquiète longtemps. Alors, pourquoi broyer du noir ? D'ailleurs, je ne t'aime pas quand tu plisses les paupières comme ça. Ça t'enlaidit.

Elle lui rendit son baiser en lui effleurant les lèvres.

Mais le visage de Bürger demeurait muré sur ses pensées. Pensées intimement, profondément incrustées en lui, à la manière du lierre s'insinuant dans les failles des murs fragiles d'une vieille maison.

56

Le chaos qui régnait aux abords de la gare avait fait place à l'ordre. Tous les villageois ayant pris part au combat avaient été passés par les armes et enterrés dans une fosse avec les morts du convoi. Sur les 3 716 prisonniers que comptait le train à son départ de Terezin pour Auschwitz, il en restait 2 489. Les corps de 864 tués dans le bombardement ou mort des suites de leurs blessures avaient été jetés dans une immense fosse. 363 manquaient encore à l'appel. Le commandant des blindés se montrait optimiste. Il estimait que des recherches poussées dans les villages et les collines proches permettraient de faire concorder les chiffres à la satisfaction du Leutnant Maler, l'officier de liaison S.S. Personne ne pouvait survivre à une nuit passée dans les bois à une température si basse et, privés de nourriture, les fugitifs se rendraient bientôt d'eux-mêmes.

Les prisonniers furent embarqués dans les trente-huit wagons encore en état de marche, à l'avant du train. La section de rails tordus comme la boucle d'un élastique ne put être dégagée. L'équipe de cheminots spécialisés dans ce genre de réparation arriverait de Cracovie le lendemain dans la matinée. Ce délai permettrait de retrouver les fugitifs.

Le commandant des blindés donna ordre que l'on

ravitaillât les prisonniers et que des latrines fussent creusées à proximité de la voie.

D'après les hommes du génie, la locomotive de queue était en état de fonctionner, tout comme les trois wagons qui y étaient encore accrochés, dont le numéro 48.

On alimenta la chaudière et, bientôt, la machine fut sous pression. La locomotive repartirait en marche arrière jusqu'à Jesenik où se trouvait une voie de garage.

57

Antonin se réveilla brusquement. Il s'était endormi
peu après avoir été jeté dans le bâtiment de la douane.
Il s'était efforcé de ne pas céder au sommeil, mais un
assoupissement miséricordieux ne s'en était pas moins
emparé de lui.

Non loin de lui, des caisses disposées en étagères
laissaient voir des boîtes de viande régulièrement empi-
lées. Du bœuf d'Argentine. Plus proches encore, il y
avait des cartons contenant des bouteilles de bière.

Antonin roula sur le côté. Il ouvrit un carton, saisit
une bouteille dont il cassa le goulot contre le sol. Il
laissa le liquide se répandre sur son visage, dans sa
bouche. Frais et agréable. Par trois fois, il renouvela son
geste et, quand deux soldats apparurent sur le seuil, il
était ivre.

Derrière les soldats se distinguait la forme floue de
l'officier de liaison S.S.

Les deux gardes l'obligèrent à se lever. Il se mit à
chanter et adressa force gestes à l'officier S.S.

Dehors, il faisait presque nuit. Un pâle fantôme de
lune flottait à l'arrière du train. A côté de la voie, là où
les hommes avaient travaillé, se devinaient les
empreintes de pas gelées.

Antonin sentit que les soldats l'empoignaient sous les

aisselles. Il se laissa emmener, traînant les pieds. Derrière lui, montait le crissement des bottes du S.S.

Le groupe atteignit la porte du wagon 48 avant même que le froid eût dégrisé Antonin. Les deux soldats essayèrent de le hisser à l'intérieur. Brusquement, il se retourna et enfonça le poing dans le ventre d'un des gardes.

— Qu'est-ce que vous faites, espèce de salauds ? Où est-ce que vous m'emmenez ?

Mû par une soudaine fureur, il leur décocha des coups de pied, frappa au hasard.

L'un des soldats se plia en deux. Antonin se mit à courir le long de la voie. Devant lui, dansait le visage de Vera. Il n'avait aucune idée de la direction dans laquelle il se ruait.

Les deux soldats le rattrapèrent rapidement et le tirèrent en arrière, vers la porte du wagon. Ses jambes battaient l'air comme celles d'un enfant.

L'officier S.S. lui tordit le bras et Antonin se retrouva à l'intérieur du wagon.

— Fusillez-moi ! Pour l'amour de Dieu, tuez-moi ! hurla-t-il. Je ne suis pas une bête !

Il se débattit furieusement.

— Tirez donc ! Allez, abattez-moi. Je vous tuerai !

Ses mains se refermèrent sur le cou du S.S. Un des soldats leva son arme et la braqua sur lui. L'officier se libéra et, d'un coup de poing, renversa Antonin.

— Je vous aurai, tous, autant que vous êtes ! Je m'en fous...

De nouveau, il se jeta sur les trois hommes. Le canon du fusil le visait encore à la tête. Le soldat crispa le doigt sur la gâchette.

— Arrêtez ! cria l'officier S.S. en écartant l'arme. Tapez-lui dessus si vous voulez, mais il doit être embarqué dans le train. Ordre du Kommandant.

Antonin rampa vers la porte du wagon.

— Terezin ? C'est ça, hein ? Vous m'y renvoyez ?

Il agita le poing devant le visage du S.S. Il apporta à son geste toute l'emphase qu'il avait pu acquérir au théâtre. Il frappa. L'officier esquiva le coup, mais Antonin le heurta violemment à la bouche.

Un des soldats saisit son arme par le canon et lui assena plusieurs coups de crosse à la tête.

— Laissez-le ! Vous allez le tuer !

— Je vous en prie, tuez-moi ! Je vous en supplie. Abattez-moi !

Antonin était assis à présent, ses jambes molles ramenées sous lui ; il tendait ses mains enflées en un geste de supplique. Soudain, il saisit le canon du fusil, l'amena contre sa tempe. L'officier écarta l'arme.

— Eloignez-vous, dit-il aux soldats. Contentez-vous de le tenir en joue. S'il bouge, cognez !

Sa main gantée se porta vers sa bouche ensanglantée.

— Nous vous avons réservé un traitement particulier. Je ne suis pas sadique ; nous ne vous tuerons pas... Vous continuerez à exercer votre métier... Oui, vous donnerez des représentations... au bénéfice du Troisième Reich... Vous apporterez votre contribution à notre glorieux avenir... Qui sait, votre rôle passera peut-être à la postérité... Le clown qui faisait rire les enfants... au moment où ils étaient exterminés.

Antonin n'écoutait plus. Son esprit vacillait, basculait...

— Les ordres prévoient que dix mille personnes quitteront Terezin dans le courant du mois. Parmi elles, il y aura beaucoup d'enfants...

— Je refuse... Je ne le ferai pas !

— Si. Ne vaut-il pas mieux aller à la mort le sourire aux lèvres qu'en proie à la tristesse ?

— Vous êtes... Je ne comprends pas, dit calmement Antonin. Je n'arrive pas à comprendre !

— Bah ! Il ne vous a pas fallu longtemps pour revenir à la raison. *Auf Wiedersehen !* Au revoir, clown, et merci !

La porte du wagon se referma. Les verrous furent

poussés. On assujettit un cadenas et une nouvelle marque à la craie fut tracée.

Antonin se retrouva dans l'obscurité.

Un instant, il se tint debout, silencieux, époussetant du bout des doigts la vareuse de soldat qu'il portait encore.

— Je suis idiot. On ne se doute pas à quel point je suis idiot !

Il se mit à donner des coups de pied dans la paille.

Son pied heurta le seau vide. Il s'acharna sur le métal. Encore. Et encore.

Enfin, il s'arrêta, saisit le seau. Il en tâta le fond comme s'il l'achetait et voulait s'assurer de sa qualité.

Il le retourna, le posa sur le plancher et s'y jucha. Devant lui, soudain, se tenait son public. Il les voyait tous, d'innombrables rangées d'enfants. Ils riaient déjà parce qu'il se produisait comme un automate. Il sentait la saucisse surie, l'ail et le talc. Les danseuses venaient de passer sur scène. Le public paraissait se fondre dans le lointain, se dissoudre dans le brouillard. Pourtant, dans les premières rangées, il distinguait des visages qui ne l'abandonneraient jamais. Visages qui se détachaient nettement, venaient se graver dans son cerveau, à jamais.

Antonin lâcha subitement un flot de paroles. Il s'exprimait en allemand et, pourtant, les mots n'avaient aucun sens... un allemand haché, incertain. Le public applaudissait, l'acclamait. Quelques enfants étaient debout sur leur siège. Il fit le salut nazi. Aucune parole ne passa ses lèvres ; et cependant, les rires fusaient...

Le train s'ébranla avec une secousse. Antonin tomba du seau. Il se redressa sur un coude. Le public avait disparu. Il attira le seau à lui, s'en servit de siège et se tint ainsi, le menton reposant au creux de ses mains.

Le train siffla. Les grandes roues gémirent dans la descente, en route vers leur point de départ.

Le convoi roula, noyé de lune, et aborda le virage.

La nuit était silencieuse. Il commença à neiger.

POSTFACE (1)

Le 15 mars 1939, l'armée allemande envahissait la Tché-coslovaquie, pays déjà mutilé par la convention de Munich. Peu de temps après, les lois antisémites de Nuremberg entrèrent en vigueur en Bohême et en Moravie.

En octobre 1941, les Juifs durent s'inscrire auprès des administrations municipales. De la même période datent les premières déportations vers l'est. C'est donc avec un soupir de soulagement qu'on reçut la nouvelle de l'éta-blissement d'un camp à Terezin. On se disait qu'il valait mieux être déporté dans un lieu qui n'était qu'à 60 kilo-mètres de Prague, c'est-à-dire chez soi, que dans les camps lointains de la Pologne.

Le Terezin du roman de Jacot n'est pas une fiction. Sa réalité est hélas historique. Fondé par l'empereur Joseph II en 1780, il porte le nom de sa mère, l'impératrice Marie-Thérèse. Il se compose de deux forteresses : la petite — construite comme prison de garnison — servait, pen-dant la Deuxième Guerre mondiale, de prison à la ges-tapo ; la grande, véritable ville, constituait le camp de concentration-ghetto.

Au moment de mettre sous presse, nous recevons ce témoignage d'une ancienne détenue à Terezin, vivant actuellement à Prague : **Anna Hyn-dràkovà.**

249

Avant la guerre, Terezin comptait quelques milliers d'habitants. Quand j'arrivai, à l'automne 1942, venant de Prague, nous étions plus de 53 000. Petite fille, je vins avec mes parents, ma sœur aînée étant déjà là avec son mari depuis le début. Ils attendaient leur premier enfant. J'y retrouvai aussi beaucoup de mes camarades, et par chaque convoi, d'autres arrivaient ; bien entendu, chaque arrivée était aussi l'occasion de départs, vers l'est : Terezin — un camp modèle pour les Juifs, le cadeau de Hitler à « ses Juifs » — n'était qu'un transit sur le chemin des camps de la mort.

Le premier convoi vers l'est partit en janvier 1942. Cela continua sans arrêt jusqu'à la fin d'octobre 1944. Nombre total de déportés à Terezin : 139 654 personnes, venues de Bohême, de Moravie, d'Allemagne, d'Autriche, de Hollande et du Danemark. 207 enfants y naquirent. A Terezin, seules 16 832 personnes survécurent parmi les prisonniers du début, et 3 097 parmi ceux qui furent déportés à l'est.

Près de 15 000 enfants passèrent par Terezin : une centaine en revint. Le Conseil juif de Terezin faisait son possible pour améliorer la vie des enfants en prison. A la différence des adultes, nous autres, les enfants recevions d'assez grosses portions de légumes. Nous vivions dans des maisons plus spacieuses, où les conditions étaient moins inconfortables. Nous étions séparés des contagieux et des malades mentaux. Les moniteurs qui habitaient avec nous — souvent des pédagogues extraordinaires — s'occupaient de tous les aspects de notre vie. Bien que ce fût absolument interdit, ils jouaient avec nous quand nous étions en bonne santé et nous soignaient quand nous étions malades. Ils organisaient des concerts, montaient des pièces de théâtre, des séances de marionnettes, des chants, des récitations, etc.

Michael Jacot s'appuie sur des événements historiques : le sort des enfants de Bialystok, et la visite de la Commission internationale de la Croix-Rouge à Terezin. Un matin d'août 1943, les S.S. menèrent dans les bains de Terezin ces 1 260 enfants, complètement épuisés et affamés. Il était défendu, sous peine de mort, d'avoir des contacts avec eux. Malgré tout, plusieurs prisonniers réussirent à leur parler. Ils apprirent qu'ils venaient du ghetto de Bialystok. Avant leur départ, ils avaient assisté à l'exécution de leurs parents, de leurs frères et sœurs aînés. Ils avaient peur dans les bains parce qu'ils savaient la vérité sur les chambres à gaz des camps de la mort, camouflées en salles de douche. Après le bain, on les isola dans des baraques, aux confins de la ville. Plusieurs prisonniers tereziniens furent désignés pour soigner les enfants ; les autres n'avaient pas le droit de les approcher. On plaça 22 enfants malades au sous-sol, dans la salle de sport. Une nuit, les S.S. les menèrent à la petite forteresse où ils les fusillèrent. Six semaines plus tard, les autres partirent avec leurs moniteurs. On supposait qu'ils allaient dans un pays neutre. On sut plus tard par les témoignages des criminels nazis à Nuremberg que les enfants devaient en effet être échangés contre des criminels de guerre allemands. Mais à la suite de l'opposition violente du grand mufti de Jérusalem, l'échange n'eut pas lieu. Après la guerre, les prisonniers d'Auschwitz racontèrent que ces enfants avaient été conduits dans leur camp, et que tous avaient péri dans les chambres à gaz. Vers la fin de la guerre, plusieurs prisonniers qui avaient réussi à s'échapper d'Auschwitz témoignèrent des horreurs commises par les nazis. Le monde, jusqu'alors indifférent au sort des Juifs européens, fut bouleversé.

En été 1944, la Commission internationale de la Croix-Rouge inspecta Terezin. Avant la visite, on prépara soigneusement le camp. Les prisonniers devaient balayer les rues, on ouvrit quelques magasins sur la place centrale, une fanfare donnait des concerts ; dans le nouveau café, on pouvait acheter, avec de l'argent qui n'avait cours qu'à Terezin, de l'ersatz de café. On construisit un beau pavillon pour les enfants.

Les responsables de Terezin fixèrent très précisément l'itinéraire de la Commission. Ils désignèrent d'avance les personnes autorisées à parler avec ses membres. Les fenêtres donnant sur la route avaient été garnies de jolis rideaux. Les habitants devaient se cacher dans les caves. Dans le pavillon des enfants, on jouait en mangeant un goûter distribué par un Lagerkommandant sympathique. Aucun des membres de la Commission n'essaya de s'écarter du chemin prévu, personne ne tenta d'aborder les prisonniers ou de briser la façade, pourtant transparente, de la farce nazie. La Commission internationale de la Croix-Rouge voulait-elle vraiment connaître la vérité ?

Michael Jacot a parfaitement rendu l'atmosphère de Terezin, la vie et le sort des enfants prisonniers, le travail des moniteurs et des médecins qui se dévouaient pour eux. Il décrit d'une façon saisissante la cruauté d'un régime que même le meurtre d'enfants n'arrêtait pas. Je retrouve dans ce roman mes expériences personnelles, mes pensées, mes sentiments d'alors. Vraiment, l'auteur a une connaissance exacte de l'époque et de tout ce que nous avons vécu. Ses personnages, ce pourrait être moi, ou tous ceux qui sont morts. Ce n'est pas une œuvre d'Histoire, cela ne prétend pas l'être, et c'est bien ainsi. Ses héros sont simples, normaux, des gens de tous les jours, et non des surhommes. Le sort de la plupart des prisonniers, dans la réalité, fut sans doute moins heureux. Eux n'ont pas connu la liberté. Je remercie Michael Jacot pour la leur avoir donnée, au moins en littérature.

Anna Hyndráková
le 7. VII. 1974

ACHEVÉ D'IMPRIMER LE
24 AOUT 1974 SUR LES
PRESSES DE L'IMPRIMERIE
BUSSIÈRE, SAINT-AMAND (CHER)

— N° d'édit. 8154. — N° d'imp. 1041. —
Dépôt légal : 3e trimestre 1974.
Imprimé en France